Como Convertirse en Dinero

Libro de Trabajo

ACCESS CONSCIOUSNESS®

"¡Todo En La Vida Llega A Mi Con Facilidad, Gozo y Gloria!™"

Por Gary M. Douglas

Cómo Convertirse en Dinero

Copyright © 2015 Gary M. Douglas

ISBN: 978-1-63493-036-9

Publicado por

Access Consciousness Publishing, LLC

www.accessconsciousnesspublishing.com

Traducido por Guillermo Lara Aguilera.

Impreso en los Estados Unidos de América

Índice

Introducción

Gary Douglas (Fundador de Access Consciousness®) originalmente canalizó esta información de un ser llamado Raz. Gary, ya no canaliza. Ésta es una transcripción de una clase en vivo.

Access se trata de empoderarte a saber que sabes. Se trata de la consciencia. Eres tu quien sabe lo que es correcto para ti.

Por favor usa este libro como una herramienta para facilitar los puntos de vista dementes y limitados que has creado alrededor del dinero y para crear más facilidad en tu vida y vivir con mucho más dinero y flujos monetarios.

Para más información sobre Access Consciousness® y para ver más productos y clases sobre todos los temas de la vida - negocios, el dinero, relaciones, sexo, magia, cuerpos y más - por favor, visita nuestro sitio web.

¡Haz y se todo lo necesario para crear y generar TU vida y vivir para ser más de lo que jamás percibiste que era posible!

www.accessconsciousness.com

TRANSCRIPCIÓN DE UNA CLASE EN VIVO CON GARY DOUGLAS CANALIZANDO UN SER LLAMADO RAZ.

Gary: Este taller del dinero será una nueva experiencia para mí. No sé cómo será para ustedes. Asegúrense de que todos tengan sus cuadernos, sus plumas, bolígrafos, o lápices y todo lo que van a utilizar porque tendrán mucho que hacer aquí esta noche. De lo poco que me dijo la Raz, van a estar sucediendo muchas cosas. Una vez más él va a pedir que voluntarios pasen al frente para ser el espejo de los demás presentes. Por lo tanto, si tienes un problema con eso, pon una manta alrededor de ti para que él no pueda verte, de lo contrario te lo va a pedir. Y no te sientas avergonzado por todo lo que suceda porque la realidad es que no hay una sola persona aquí, que de una u otra forma, no tenga exactamente el mismo problema que tú. No hace ninguna diferencia si tienes 1 millón de dólares o cincuenta centavos, las cuestiones de dinero son difíciles para todos. ¿Están listos? Aquí vamos.

Preguntas del Libro de Trabajo

Esta noche vamos a hablar acerca de cómo SER el dinero. Eso que tú eres es energía; Eso que serás es energía; Eso que has sido es energía. Eso que el dinero es: Energía.

Al igual que ustedes, esta noche, responde a las preguntas que vamos a hacer, sean conscientes que la honestidad de sus respuestas se refiere no a la gente a su alrededor, pero a sí mismos. Cada punto de vista que han creado sobre el dinero crea las limitaciones y parámetros desde donde lo recibes.

Todo lo que creas, otros crean. Se totalmente honesto contigo mismo, si no eres el único que se está engañando; de todos modos, todo el mundo sabrá tus secretos.

Les pedimos que recuerden que el tema al que ahora nos enfrentamos no suele considerarse ligero, pero debería serlo. Ligero es divertido, es una broma, pueden reírse, está bien. Así que prepárense a ser los seres aligerados que son.

Si realmente deseas resultados en esto, sería mejor si respondieras a todas las preguntas en esta sección antes de pasar al siguiente capítulo.

Rasputín: 'Allo'

Estudiante: Buenas noches, Rasputín.

R: ¿Cómo están? Así que, esta noche vamos a hablar de lo que es más querido para todos sus corazones; Eso que el dinero es. Y es, que para cada uno de ustedes, el dinero no es el tema que piensan que es, pero vamos a trabajar con usted para asistirles en comenzar a aprender cómo lidiar con el dinero, no como una situación que va de momento a momento, sino como la asignación de la abundancia que es la verdad del ser que eres.

Por lo tanto, vamos a empezar. Les pregunto: ¿Qué es el dinero? Y escriban tres respuestas de que es el dinero para ustedes. Ahora, no escriban lo que creen que debería ser, no escriban abajo la respuesta 'correcta' porque no existe tal cosa. Permitan a su cerebro flotar lejos y permitan que eso que es la verdad donde se sientan sea la respuesta que escriban en la página. Así pues, tres cosas que el dinero es para ti.

PREGUNTA UNO: ¿Qué es el dinero?

Respuesta 1:
_____
_____
_____
_____

Respuesta 2:
_____
_____
_____
_____

Respuesta 3:
_____
_____
_____

Bueno, ¿Todo el mundo listo? La segunda pregunta es: ¿Qué significa el dinero para ti? Escribe tres respuestas.

PREGUNTA DOS: ¿Qué significa el dinero para ti?

Respuesta 1:
_____
_____
_____
_____

Respuesta 2:
_____
_____
_____
_____

Respuesta 3:
_____
_____
_____
_____

Tercera pregunta: ¿Cuáles son las tres emociones que tienes cuando piensas en el dinero?

PREGUNTA TRES: ¿Cuáles son las tres emociones que tienes cuando piensas en el dinero?

Respuesta 1:
_____
_____
_____
_____

Respuesta 2:
_____
_____
_____
_____

Respuesta 3:
_____
_____
_____
_____

Ahora, la siguiente pregunta, la pregunta número cuatro: ¿Cómo se siente el dinero para ti? Tres respuestas. ¿Cómo se siente el dinero para ti?

PREGUNTA CUATRO: ¿Cómo se siente el dinero para ti?

Respuesta 1:
_____
_____
_____
_____

Respuesta 2:
_____
_____
_____
_____

Respuesta 3:
_____
_____
_____
_____

Siguiente pregunta: ¿Cómo se ve el dinero para ti?

PREGUNTA CINCO: ¿Cómo se ve el dinero para ti?

Respuesta 1:

_____

_____

_____

_____

Respuesta 2:

_____

_____

_____

_____

Respuesta 3:

_____

_____

_____

_____

¿Todos listos? Siguiente pregunta: ¿Cómo sabe el dinero para ti? Siéntelo en su boca. ¿A qué sabe? Ahora la mayoría de ustedes no se han metido el dinero en la boca desde que eran niños pequeños, pero pueden utilizar eso como punto de referencia.

PREGUNTA SEIS: ¿Cómo sabe el dinero para ti?

Respuesta 1:

Respuesta 2:

Respuesta 3:

Siguiente pregunta ¿Todos listos? La siguiente pregunta es: Cuando ves el dinero venir hacia ti ¿Desde qué dirección lo sientes venir? ¿Desde la derecha, de la izquierda, desde atrás, desde el frente, de arriba, de abajo, de todo el derredor? ¿Desde dónde lo ves venir?

PREGUNTA SIETE: Cuando ves el dinero venir hacia ti ¿Desde qué dirección lo sientes venir?

Respuesta 1:

Respuesta 2:

Respuesta 3:

Bien, la siguiente pregunta: En relación al dinero ¿Sientes que tienes más de lo que necesitas o menos de lo que necesitas?

PREGUNTA OCHO: En relación al dinero ¿Sientes que tienes más de lo que necesitas o menos de lo que necesitas?

Respuesta 1: _____
_____
_____
_____

Respuesta 2: _____
_____
_____
_____

Respuesta 3: _____
_____
_____
_____

Siguiente: En relación al dinero, cuando cierras los ojos ¿De qué color es y cuántas dimensiones tiene?

PREGUNTA NUEVE: En relación al dinero, cuando cierras los ojos ¿De qué color es y cuántas dimensiones tiene?

Respuesta 1:
_____
_____
_____
_____

Respuesta 2:
_____
_____
_____
_____

Respuesta 3:
_____
_____
_____
_____

PREGUNTA DIEZ: En relación al dinero, que es más fácil ¿Los ingresos o los egresos?

Respuesta 1: _____
_____
_____
_____

Respuesta 2: _____
_____
_____
_____

Respuesta 3: _____
_____
_____
_____

Siguiente pregunta: ¿Cuáles son tus tres peores problemas con el dinero?

PREGUNTA ONCE: ¿Cuáles son tus tres peores problemas con el dinero?

Respuesta 1:

_____

_____

_____

_____

Respuesta 2:

_____

_____

_____

_____

Respuesta 3:

_____

_____

_____

_____

Siguiente pregunta: ¿Qué tienes más? ¿Dinero o deudas?

PREGUNTA DOCE: ¿Qué tienes más? ¿Dinero o deudas?

Respuesta:

_____

_____

_____

_____

_____

Vamos a darles una pregunta más: En relación al dinero, para tener abundancia de dinero en tu vida ¿Cuáles serían las tres soluciones a tu situación financiera actual?

PREGUNTA TRECE: En relación al dinero, para tener abundancia de dinero en tu vida ¿Cuáles serían las tres soluciones a tu situación financiera actual?

Respuesta 1:
_____
_____
_____
_____
_____

Respuesta 2:
_____
_____
_____

Respuesta 3:
_____
_____
_____

Bien ¿Todos tienen sus respuestas? ¿Alguien no tiene respuestas? Bien, ahora, regresen al principio de su hoja, lean las preguntas y pregúntese si han sido totalmente honestos con sus respuestas y si estas son las que desean tener en la página. Si no, cámbienlas.

Miren sus respuestas y decidan si las han creado en honestidad, honestidad consigo mismos. No hay ninguna respuesta correcta, no hay respuestas equivocadas, son sólo puntos de vista; eso es todo, son puntos de vista. Y son las limitaciones desde donde han creado su vida. Si funcionan de lo que es la respuesta cósmica correcta, no están siendo verídicos con ustedes mismos, porque si lo fueran, sus vidas serían muy diferentes.

¿Qué es el dinero? Para algunos el dinero es coches, para otros el dinero son casas, para otros el dinero es seguridad, para otros más el dinero es un intercambio de energía. Pero ¿Es esas cosas? No, no. Es energía, tal como tú eres energía. No hay diferencia entre tú y el dinero excepto los puntos de vista que le ponen. Y le ponen esos puntos de vista porque han comprado los puntos de vista de los demás.

Si cambiaran, lo que es su situación financiera, si cambian lo que es el dinero en sus vidas, entonces deben aprender a estar en permisión de todas las cosas. Pero en particular, cuando escuchen y les den un punto de vista, deben mirarlo y ver si es verdad para ustedes. Si es verdad para ustedes, se han alineado o están de acuerdo y lo han convertido en solidez. Si no es cierto para ustedes, resisten o reaccionan a él y lo han convertido en solidez. Incluso sus propios puntos de vista no necesitan ningún acuerdo, necesitan ser sólo interesantes puntos de vista.

Lo que son, lo que podrían tener, deben SER. Eso que no tienes en ti, por nada lo puedes tener. Si ven al dinero como algo externo a ustedes, ustedes no pueden tenerlo. Si ven el dinero en cualquier lugar que no sea dentro del ser que son, ustedes por nada lo tendrán y nunca será suficiente desde su punto de vista.

$$$$$$$$$$$$$$$$$$$$$$

CAPÍTULO UNO
¿Qué es el dinero?

Rasputín: Bien ¿Todos listos? ¿Terminaron? ¿Todos están satisfechos con sus respuestas? Muy bien. Así que ahora comenzamos a hablar sobre el dinero. Para empezar, ahora tienen un entendimiento de lo que han apuntado en su hoja, acerca de sus propios puntos de vista sobre el dinero. Ven sus vidas como la situación financiera en la que están, han comprado el punto de vista de que sus vidas son lo que tienen ahora, como realidad financiera. Interesante punto de vista.

Ahora, estamos hablando, como lo hemos hecho muchas veces antes, una vez más, sobre la diferencia entre la permisión y la aceptación. Permisión: Son la roca en el río y cualquier pensamiento, idea, creencia o decisión viene hacia ustedes, pasa a su rededor y sigue adelante, si son la roca en la corriente entonces están es permisión. Si están en aceptación, todas las ideas, pensamientos, creencias, decisiones vienen hacia ustedes y se convierten en parte de la corriente y son arrastrados por ella.

La aceptación tiene tres componentes: alineación o acuerdo, que hace que sea una solidez, resistencia, que hace que sea una solidez, y reacción, que hace que sea una solidez. ¿Cómo se ve esto en la vida real? Bueno, si tu amigo te dice, "No hay suficiente dinero en el mundo". Si te alineas o estás de acuerdo dirás, "Sí, tienes razón", y lo haces una solidez en tu vida y te lo apropias. Si te resistes, piensas, "Este sujeto quiere dinero de mí", y lo haces una solidez en tu vida y te lo apropias. Si reaccionas a eso, le dices, "Bueno, yo tengo suficiente dinero en mi vida, no sé lo que está mal contigo", o te dices "Eso no me va a suceder a mí", y ya lo has comprado, lo has pagado y te lo has llevado a casa en una bolsa y tú mismo lo has hecho una solidez.

Si tu amigo te dice, "No hay suficiente dinero en el mundo" es sólo un punto de vista interesante. Cada vez que escuchas información sobre el dinero, inmediatamente debes reconocer que es sólo un interesante punto de vista;

no tiene que ser tu realidad, no tiene que ser lo que ocurre. Si crees que es más fácil pedir prestado que págalo de vuelta, entonces lo has hecho una solidez y has creado deuda continua. Después de todo, es sólo un interesante punto de vista.

¿Qué es el dinero? Bueno, algunos de ustedes piensan que el dinero es oro, algunos de ustedes piensan que el dinero son los coches, algunos de ustedes piensan que el dinero son las casas, algunos de ustedes piensan que el dinero es el intercambio de energía, algunos de ustedes piensan que es un medio de intercambio. Observen que cada uno de los puntos de vista es una solidez. El dinero es sólo energía. No hay nada en el mundo, nada, que no sea energía.

Si observas tu vida y crees que no tienes suficiente dinero ¿Estás realmente diciéndoles a los ángeles con los que te sientas, que te ayuden? Les estás diciendo que no necesitas dinero adicional, no necesitas energía. En verdad, no lo necesitas, eres energía y no tienes ningún límite de abastecimiento de ella. Tienes más que suficiente energía para hacer todo lo que deseas en tu vida, pero no eliges crearte a ti mismo como dinero, como energía, como poder.

¿Qué es el poder para ustedes? Para la mayoría de ustedes el poder es agobiar a los demás, se trata de controlar a los demás, o se trata de controlar tu vida, poniéndole controles en tu vida o controlando tu destino financiero. Interesante punto de vista ¿Eh?

Destino financiero ¿Qué es eso? Es un programa extraño, eso es lo que es, un programa de destino. Cada vez que dicen "Tengo que tener un programa de libertad financiera", ustedes están diciéndose a sí mismos que ustedes, personalmente, no tienen ninguna libertad. Y por tanto, han limitado, en totalidad, sus elecciones y lo que experimentan.

Les pedimos a todos, en este momento cerrar los ojos y empiecen a jalar energía por el frente de ustedes, jálenla hacia dentro con cada poro de su cuerpo. No la inhalen, simplemente jálenla. Bueno y ahora tiren de ella desde la parte posterior de ustedes, desde todas partes. Y ahora jálenla por los costados y tiren de ella. Ahora desde abajo de ustedes. Observen que hay un montón de energía disponible cuando la jalan. Ahora, conviértanla en dinero. Observen cómo la mayoría de ustedes de repente la hicieron muy densa. Ya no era la energía de lo que estaban tirando, era algo significativo. Han comprado la idea de que el dinero es significativo y por lo tanto, la han hecho una solidez, se han alineado con el acuerdo del resto del mundo que es como funciona, funciona con energía. El mundo <u>no</u> funciona con dinero, el mundo funciona con energía. El mundo paga en moneda de energía y si ustedes están dando y recibiendo el dinero como energía, tendrán abundancia.

Pero para la mayoría de ustedes, ingreso de energía es la categoría, es la idea. Vuelvan a jalar energía dentro de la totalidad de su cuerpo, tiren de ella, jalen de ella. ¿Se pueden aferrar a ella? ¿Parece como que se apila y obtienes más y más? ¿Se detiene contigo? No, solo eres energía y la dirección en la que ustedes enfocan su atención es cómo crean la energía. Con el dinero es lo mismo.

Ahora, todo es energía. No hay un solo lugar del cual no puedan recibir energía. Ustedes pueden recibir energía desde la mierda de perro en el suelo, desde la orina en la nieve o pueden sentirla desde el vehículo o el conductor de un taxi. ¿Están allí, lo están captando? Reciben energía de todas partes. Ahora, tomen a un taxista y flúyanle enormes cantidades de dinero desde la parte delantera de ustedes hacia el conductor del taxi, con cualquier taxista funciona. Flúyanlo hacia fuera, más, más, más, más, más, más, más. Ahora, sientan la energía que se está jalando desde la parte posterior de ustedes. ¿Están limitando la cantidad de energía que está llegando por detrás?

¿De dónde proviene el dinero? Si lo ves venir desde la derecha o la izquierda estás viendo que tu vida es trabajar, porque es la única manera que puedes conseguir el dinero. Si estás viéndolo venir desde el frente, estás viéndolo como perteneciente al futuro. Y si estás viéndolo por detrás de ti, están viendo que viene de lo que fue el pasado. Y este es el único lugar donde has tenido dinero. Tu vida es acerca de, "Tenía dinero, ahora no tengo nada, así que soy patético". No, en realidad sólo es un interesante punto de vista.

Ahora, cuando fluyes dinero ¿Sale lo de tu chakra del corazón, del chakra raíz o tu chakra de la corona? ¿Desde dónde fluirlo? Flúyelo desde todas partes, desde la totalidad de tu ser y entonces fluye hacia dentro de la totalidad de tu ser.

Si ves al dinero venir de arriba de ti, entonces crees que los espíritus te proveerán el dinero. Los espíritus te proporcionan energía para crear cualquier cosa que decidas crear. ¿Qué hacer? ¿Qué hacer, para crear dinero? Primero que nada, debes volverte poder. Poder no es sentarte encima de otro, el poder no es controlar. El poder es energía... ilimitada, expansiva, creciente, magnificente, gloriosa, fabulosa, exuberante y expedita energía. Está en todas partes, no hay ninguna disminución de sí mismo en la energía, no hay ninguna disminución de sí mismo en el poder y no hay ninguna disminución de los demás. Cuando están siendo poder, están en totalidad – cada uno de ustedes están ¡Siendo Tu! Y cuando están siendo ustedes mismos, están siendo energía y como energía, todo está conectado a ustedes, lo que significa que también están conectados al suministro ilimitado de dinero.

Ahora, ustedes se convertirán en poder y para ser eso, digan diez veces en la mañana "yo soy poder". Y en la noche que digan diez veces, "yo soy poder". ¿Qué otra cosa deben ser? Creatividad. "Yo soy creatividad". ¿Qué es creatividad? La creatividad es la visión de tu vida y el trabajo que deseas hacer como la esencia de ti, como el alma de la energía. Todo lo que hagan, desde la creatividad, independientemente de si están barriendo el piso, limpiando los baños, lavando las ventanas, lavando los platos, cocinando la comida, escribiendo cheques, creatividad conectada al poder, es igual a energía, y resulta en dinero, porque todo ello es lo mismo.

El siguiente elemento que debes tener es la concienciación. ¿Qué es concienciación? Concienciación es el reconocimiento que todo, todo lo que crees, se crea. Se manifiesta. Es cómo tu vida se muestra solamente por tus pensamientos.

Si tienes la imagen creativa de adónde vas y qué es lo que vas a hacer y le adjuntas la concienciación es un trato hecho, se manifestará. Pero lo que hacen en este plano es, sumarle el elemento del tiempo – ¡Tiempo! El tiempo es su asesino porque si no manifiestan 1 millón de dólares mañana, después de completar el curso de esta noche, deciden que la clase no sirvió para nada y todo lo que has aprendido lo olvidas.

Bien ¿Cómo das cuenta del tiempo? Siendo el control. "Yo soy control".

¿Qué significa ser "yo soy control"? "Yo soy control" es el entendimiento de que en el tiempo correcto, en la forma correcta, sin tu definir la ruta, eso que concibes como creatividad, eso de lo que estás consciente como completado, eso a lo que te conectaste como tu poder, como tu energía, es un trato cerrado en su propio tiempo, en su propio marco. Y si pones los cuatro componentes juntos y permites al universo ajustar cada aspecto de la misma, para afinar al mundo para convertirse en tu esclavo, tú manifestarás exactamente lo que deseas.

Ahora, hablemos sobre el deseo por un minuto. El deseo es la emoción desde donde deciden crear. ¿Es una realidad? No, es sólo un punto de vista interesante. Si desean la ropa ¿Lo hacen por una razón o porque tienen frío? o ¿Porque tienen calor o porque han desgastado sus zapatos? No, no lo hacen por ese motivo, lo hacen para muchos otros motivos. Porque alguien les ha dicho que se ven bien en ese color o porque alguien les ha dicho que los han visto demasiado a menudo con esa misma camisa o porque piensan que.................... (Risas). Sí, nos alegramos que finalmente aquí se aligeren un poco. (Risas).

Bien, así que, deseo es el lugar en el que fluyen necesidad emocional en su insistencia que es la realidad. Ustedes, como seres, como energía, como poder, como creatividad, como concienciación y como control, no tienen ningún deseo en absoluto, ninguno, ningún deseo. No importa lo que ustedes experimenten, sólo eligen experimentar. Pero, lo que no eligen es facilidad en este plano, no eligen facilidad porque significaría que tienen que ser el poder, porque significaría que deben manifestar en esta tierra, paz, tranquilidad, alegría, risa y gloria. No sólo para ustedes mismos, sino también para todo los demás.

Eligen disminuirse a ustedes mismos. Si se vuelven el poder que son, lo que se requiere de ustedes es que vivan en gozo, facilidad y gloria.

Gloria es expresión exuberante de la vida y la abundancia en todas las cosas.

¿Qué es la abundancia en todas las cosas? Abundancia en todas las cosas es el entendimiento y la realidad de que están conectados a todos y cada uno de los seres en este plano, a cada molécula en este plano y que cada uno de ellos están en apoyo a ustedes y a la energía y el poder que son. Si ustedes funcionan como cualquier cosa menos que eso, simplemente están siendo unos peleles.

De eso que es el debilitamiento de la seguridad financiera, se crean a sí mismos como pequeños, como incapaces, e incluso menor que eso, como indispuestos. Indispuestos a afrontar el reto de quien realmente son, porque son energía, son control, son concienciación y son creatividad. Y esos cuatro elementos crean tu abundancia. Por lo tanto, se convierten en ellos, úsenlos todos los días por el resto de sus vidas o hasta que ustedes puedan llegar a ser eso mismo. Ustedes pueden agregar uno más allí y pueden decir, "yo soy dinero, yo soy dinero". Bien, así que ahora vamos a pedirles a todos decir con nosotros, síganos y vamos a hacer algunos "yo soy". ¿Está bien? Bien, así que empezamos:

Yo soy poder, yo soy concienciación, yo soy control, yo soy creatividad, yo soy el dinero, yo soy control, yo soy poder, yo soy concienciación, yo soy creatividad, yo soy poder, yo soy concienciación, yo soy control, yo soy creatividad, yo soy dinero, yo soy concienciación, yo soy poder, yo soy control, yo soy concienciación, yo soy poder, yo soy control, yo soy dinero, yo soy creatividad, yo soy alegría. Bien.

Ahora, siente tu energía y siente la expansión de cómo se siente tu energía. Esta es la verdad de ti y este es el lugar desde el que se crea el flujo del dinero. La tendencia de cada uno de ustedes es tirar de sí mismos hacia el pequeño dominio que llaman su cuerpo y pensar. Dejen de pensar, el cerebro es una herramienta inútil para ustedes, desechen ese cerebro y comiencen a funcionar como la verdad de sí mismos, desde su poder, desde su expansión. Sean en totalidad. Ahora, cada uno de ustedes, tiren de ustedes mismos hacia dentro de su mundo financiero. ¿Se siente bien?

Estudiante: No

R: Correcto, así que ¿por qué eliges vivir allí? ¿Desde qué creencia limitante funcionas? Escribe eso.

¿Desde qué creencia limitante funcionas en la vida que ha creado tu mundo financiero?

Respuesta:_____

_____

_____

_____

Ahora, manténganse expandidos como poder y miren ese mundo financiero que han creado dentro de ustedes, no como una realidad, sino como un espacio desde el que funcionan. ¿Qué creencias limitantes tienes que tener fijas para funcionar como eso? No se regresen a sus cuerpos, pueden sentir que lo hacen. Toquen el espacio, no estén en él. Gracias, lo hicieron bien. Expándanse ahí, sí, así. No retrocedan dentro de ese espacio. Lo están haciendo otra vez, sálganse.

Yo soy poder, yo soy concienciación, yo soy control, yo soy creatividad, yo soy dinero, yo soy poder, yo soy concienciación, yo soy control, yo soy creatividad, yo soy dinero, yo soy poder, yo soy concienciación, yo soy control, yo soy creatividad, yo soy dinero, yo soy poder, yo soy concienciación, yo soy control, yo soy creatividad, yo soy dinero, yo soy concienciación, yo soy concienciación, yo soy concienciación. Eso es, gracias.

Ahora, están fuera de sus cuerpos. Eligen siempre disminuirse a sí mismos al tamaño de sus cuerpos, entonces eligen una limitación sobre lo que ustedes pueden recibir porque piensan que sólo su cuerpo recibe la energía del dinero, lo cual no es cierto. Es la mentira dese la que funcionan. Bien ¿Ahora están más expandidos? Bien, ahora que han visto eso ¿Todos han llegado a una respuesta? ¿Quién no tiene una respuesta?

E: Yo no

R: Bien ¿No tienes una respuesta? Así que echemos un vistazo. ¿Qué consideras que es tu situación financiera? ¿Siéntela en tu cuerpo – donde se localiza?

E: En mis ojos.

R: ¿Los ojos? Tu situación financiera está aquí, así que no puede ver qué es lo que estás creando ¿Eh?

E: Sí.

R: ¿Está la concienciación en tus ojos? Ah, interesante, ahora comienzas a salirte ¿Te das cuenta? Sí, empiezas a salirte. La creencia limitante desde la que funcionas es, "no tengo la visión para saber lo que va a pasar y cómo controlarla". ¿Cierto?

E: Sí.

R: Bien. ¿Cómo sacarte a ti mismo de esa creencia? Ahora ¿Tienen todo el resto de ustedes su creencia desde la que funcionan? ¿Quién necesita contribución aquí, necesitan ser ayudados?

E: Yo.

R: ¿Sí? ¿Cuál es tu situación financiera y dónde la sientes en tu cuerpo?

E: En mi plexo solar y garganta.

R: Sí, bien, entonces ¿Qué es eso del plexo solar y garganta? Sumérgete en eso, siéntelo en totalidad, siéntelo, sí, allí, justo allí. Bien, notas que se está haciendo más pesado y más pesado. Sí, más y más de la situación financiera que es, que es exactamente cómo te sientes cuando te metes en tu diminuto universo financiero ¿Sí? Bien, ahora revertirla y hazla que vaya en la otra dirección. Allí ¿Lo sientes? ¿Está cambiando ahora, y ahora?

E: ¡Uh! huh.

R: Tu consideración financiera es que no tienes el poder ni la voz para hablar la verdad de ti, para hacer que las cosas sucedan.

E: Sí.

R: Sí, exactamente así. Bien. Lo ves. Ahora para cada uno de ustedes, ahora entienden el método, esto es cómo ustedes van a revertir los efectos que han creado en sus propios cuerpos, en sus propios mundos. Donde ustedes sientan sus restricciones financieras dentro de sus cuerpos, puede revertirlas y permitirles salir y que están fuera, no dentro de ustedes. Que no sean parte de ti, sino como de hecho son, un interesante punto de vista. Pues aquí afuera tienes un punto de vista, lo puedes ver. Y eso cómo funcionas, como limitado por tu cuerpo, se crea también como limitación de su alma. Ahora ¿Quién se siente mareado? ¿Alguien?

E: Yo lo estoy

R: ¿Ligeramente mareado, aquí? Está bien. ¿Así que, ligeramente mareado? ¿Por qué estás mareado? ¿No es ahí donde sientes consideraciones sobre el dinero? ¿Cómo que te hacen cambiar hacia fuera, no sabes exactamente cómo lidiar con eso? Pon ese mareo fuera de tu cabeza. Ah, siéntelo, siéntelo. Ahora eres la expansión. Ves ya no es la cosa de estar fuera de control en tu cabeza. No hay nada fuera de control. ¡Es una mierda total! Las únicas cosas que te controlan son las luces rojas desde las que funcionas y las luces verdes que te dicen que sigas adelante, y es cuando estás conduciendo un auto. ¿Por qué sigues esas luces verdes y luces rojas cuando estás en tu cuerpo? ¿Adiestramiento pavloviano? Por lo tanto, ahora te pido que vuelvas a tu pregunta original. ¿Cuál es la primera pregunta?

E: ¿Qué es el dinero?

R: ¿Qué es el dinero? ¿Qué es el dinero para ti? Las respuestas.

E: Mi primera respuesta fue poder. Mi segunda respuesta era movilidad, la tercera fue crecimiento.

R: Bien. Así que ¿Cuáles son verdaderas?

E: El poder.

R: ¿Realmente?

E: Poder, es totalmente cierta.

R: ¿Es eso realmente cierto? ¿Crees que el dinero es poder? ¿Tienes dinero?

E: No

R: Así que ¿No tienes poder?

E: Correcto

R: ¿Así es como te sientes? ¿Impotente? ¿Dónde te sientes impotente?

E: Cuando lo dices de esa manera, lo siento justo en mi plexo solar.

R: Sí, así que ¿Qué haces? Expulsarlo

E: Pero sabes, cuando sentí que el dinero, lo sentí en mi corazón, y cuando tengo que hacer algo, donde me siento...

R: Sí, porque se trata de poder, el asunto del poder se siente en el plexo solar. Has vendido tu poder y lo has entregado, debes revertir ese flujo. El poder es tuyo, tú eres el poder. No creas el poder, tú lo eres. ¿Sientes, ahí? En cuanto lo expulsas, empiezas nuevamente a expandirte, no te metas en tu cabeza, no pienses en él ¡Siéntelo! Sí, allí, expulsas ese poder.

Ahora ¿Qué significa eso? Para todos ustedes, la realidad es que cuando tienes el dinero como el poder y lo sienten jalando, están tratando de crear el poder, y como tal, ya han asumido que no lo tienen, la asunción básica. Cualquier cosa que atora su atención tiene una verdad con una mentira pegada.

E: ¿Puedes repetir eso, por favor?

R: ¿Cualquier cosa que atora su atención, acerca del poder?

E: Sí.

R: Cuando sientes el poder venir a ti, ya has asumido que no lo tienes. Lo has asumido. ¿Qué hace eso contigo? Te disminuye. No lo crees desde la asunción, la asunción de que el dinero es poder, siéntelo. ¿El dinero como poder – es una solidez o es sólo un interesante punto de vista? Lo haces así, si el dinero es poder, siente la energía de eso. Eso es sólido ¿No es así? ¿Puedes funcionar como energía en solidez? No, porque ese es el lugar desde donde haces la caja donde vives y es donde todos se encuentran atrapados, ¡Ahora mismo! En la idea de que el dinero es poder. ¿Tu siguiente respuesta?

E: Mi siguiente respuesta fue movilidad.

R: ¿Movilidad?

E: Sí.

R: El dinero te permite moverte ¿Eh?

E: Sí.

R: ¿Realmente? No tienes dinero pero te las arreglaste para llegar desde Pensilvania hasta Nueva York.

E: Bueno, si lo pones de esa manera...

R: ¿Lo hiciste?

E: Sí.

R: ¿Y cuánta energía obtuviste aquí que te ha cambiado?

E: Ah, mucha más de lo que me tomo para llegar hasta aquí. ¿Eso es lo que quieres decir?

R: Sí, es un interesante punto de vista ¿No? ¿Hacia dónde estás fluyendo, más hacia fuera o más hacia adentro?

E: Ah, desde ese punto de vista, más hacia adentro.

R: Correcto. Pero ves, siempre piensas que te estás disminuyendo porque obtienes energía, pero no ves al dinero como energía también, que puede venir, puede entrar. Permites el paso de la energía con gran alegría ¿No es así?

E: Sí.

R: ¿Gran gusto?

E: Sí.

R: Gloria, por así decirlo. Ahora, siente esa gloria de la energía, la energía que has experimentado los últimos días. ¿Siéntela?

E: Sí.

R: Conviértela toda en el dinero. ¡Whoa! Qué torbellino sería eso ¿eh?

E: (Risas).

R: Así ¿Cómo es posible que no te permitas que sea así tu vida el resto del tiempo? Porque no estás dispuesto a permitirte recibir. Porque supuestamente necesitas. ¿Cómo se siente la necesidad?

E: No se siente bien.

R: Se siente como una solidez ¿eh? Es la tapa de tu caja. *Necesidad*, que es una de las palabras más groseras en tu idioma. ¡Tírala! Tómala, ahora, escríbela en un trozo de papel, en una hoja aparte. Escribe "Necesidad" ¡Arráncala de tu cuaderno y rómpela en pedazos! Ahora tienes que poner los pedazos en tu bolsillo, de lo contrario "D" (otro alumno) tendrá un problema. (Risas) ¡Bien! ¿Cómo se siente eso?

E: Bien.

R: Se siente grandioso ¿eh? Sí, bien, así que cada vez que utilices la palabra *necesidad*, escríbela y rómpela hasta se borre de tu vocabulario.

E: ¿Puedo hacer una pregunta?

31

R: Sí ¿Hay preguntas?

E: Sí, es sobre... Antes pensaba que estaban explicando que las palabras *poder, energía y concienciación* eran intercambiables.

R: No totalmente. Si las haces significativas, las has hecho una solidez. Debes mantenerlas como flujos de energía. Poder es energía, la concienciación es energía, como saber con certeza absoluta, sin duda, sin ninguna reserva. Si piensas: "Voy a tener 1 millón de dólares la semana próxima", y por dentro escuchas una vocecita que dice, "¿Quieres hacer una apuesta?" o aquella que te dice, "¿Cómo vas a hacer eso?" o "¡Oh, Dios mío, no puedo creer que hice ese tipo de compromiso!" Ya te has contra-intencionado a ti mismo hasta el punto donde no puede ocurrir en la secuencia de tiempo que has creado para eso, que es el asunto del control.

Si dices, "Deseo tener 1 millón de dólares en el banco", y sabes que vas a hacer eso y no pones el tiempo allí, porque tienes el control para monitorear tus procesos de pensamiento y cada vez que tengas un pensamiento que es contra-intencionado, piensas, "Oh, interesante punto de vista", y lo borras, puede suceder mucho más rápido. Cada vez que tengas un pensamiento que no borras, alargas el período de tiempo hasta que ya no puede existir.

Lo despostillas. Verás, si lo miras desde un propósito fundacional, digamos que tienes un tee de golf, bien y el punto es aquí y vas a poner tu idea de 1 millón de dólares encima del punto, cada vez que dices algo, piensas algo negativo acerca de lo que has decidido crear, despostillas la base hasta que se vuelca y cae muy lejos. Y entonces ya no existe. Y entonces la construyes de nuevo y decides otra vez, pero una vez empiezas a despostillarla con-tinuamente. El balance de la misma, en el punto-debes tomar el punto y mantenerlo allí como un saber, como una realidad, que ya está en existencia. Y que finalmente, en tu secuencia de tiempo, alcanzarás eso que has creado. Sólo entonces lo conseguirás, lo tienes, es tuyo. Bien, volvemos a la respuesta número dos, movilidad. ¿Qué es movilidad? ¿Desplazando tu cuerpo?

E: Bueno, esa es la manera en el que quise decirlo.

R: ¿Significa cómo desplazarse con el cuerpo de un lugar a otro o se entiende como libertad?

E: Bien, ambos.

R: ¿Ambos?

E: Sí.

R: Bueno, una vez más, la asunción es que no la tienes. Nota, son tus asunciones las que son los puntos de vista negativos que no te permiten, *no te permiten*, recibir lo que deseas en la vida. Si dices necesito o deseo libertad, has creado automáticamente el punto de vista de que no tienes libertad. Eso no es ni poder, ni concienciación, ni control, ni creatividad. Bueno, es una especie de creatividad. Has creado y la has convertido en la realidad desde la que estás funcionando. Consciencia es el proceso que va a crear tu vida, no por asunción. No puedes funcionar en asunción, hay un poco de aliteración, es tiempo para escribir un poema propio. Muy bien. Ahora, la tercera respuesta.

E: La tercera, bueno, crecimiento.

R: Oh ¿No has crecido en los últimos 20 años?

E: Bueno, crecimiento, tenía esta idea de que necesito viajar a...

R: ¿Qué dices?

E: Me gustaría poder viajar...

R: ¿Qué dices?

E: Dije quisiera, oh, dije "necesito".

R: Sí, escríbelo, rómpelo. (Risas). Mejor haz trozos de papel más pequeños.

E: Sí, lo supongo. Sí, me gustaría poder viajar cuando escucho de unos talleres interesantes de dónde puedo aprender algo.

R: Interesante punto de vista. Ahora ¿Cuál es el punto de vista automático, la asunción, de la cual estás funcionando? "Que no me lo puedo permitir". "Que no tienes suficiente el dinero". Siente tu energía. Siente tu energía ¿Cómo se siente?

E: Se siente ahora muy expandida.

R: Bueno. Pero cuando dices eso ¿Cómo se siente?

E: ¿Cuando digo eso?

R: Sí. Cuando asumes que no tienes suficiente el dinero.

E: Ah, se siente disminuida, que se siente...

R: Bien. ¿Así que, tienes que funcionar desde ese lugar?

E: Espero que no.

R: ¿Espero que no? Interesante punto de vista.

E: Seguro que si.

R: Consciencia, consciencia, cada vez que te sientas así, ¡¡¡¡despierta!!!!
Cuando te sientes así, ya no estás siendo honesto contigo mismo. Ya no estás siendo poder, concienciación, control, creatividad o dinero. Muy bien. Así que ¿Alguien tiene algún punto de vista sobre lo que el dinero es para ellos, que les gustaría tener alguna claridad sobre su punto de vista asumido?

E: Sí.

R: ¿Sí?

E: Mi primera fue combustible cósmico.

R: ¿Combustible cósmico? ¿Esto es lo que realmente crees? y ¿Cuál es la asunción detrás de eso? ¿Que no tienes nada de combustible cósmico? La asunción detrás es que no tienes ningún combustible cósmico. Que no estás conectado al cosmos y que no eres concienciación. ¿Alguna de esas cosas es verdad?

E: No

R: No, no lo son. Por lo tanto, no funciones desde la asunción, funciona desde la realidad. Tienes combustible cósmico, suficiente, más que suficiente abundancia. Sí, como. ¿Ya lo tienes? ¿Tienes otro punto de vista que deseas preguntar?

E: Sí, tenía un cojín para la supervivencia.

R: Ah, muy interesante punto de vista, suponemos hay alrededor de seis o siete personas que tengan ese punto de vista similar. Ahora ¿Cuál es la asunción desde la que están funcionando allí? En realidad son tres en ese punto de vista particular. ¿Mirémoslas, qué es lo que ves, que estás asumiendo allí? Número uno es que estás asumiendo que sobrevivirás o que debes de sobrevivir. ¿Cuántos miles de millones de años tienes?

E: Seis.

R: Por lo menos. Por lo que ya has sobrevivido 6 billones ¿A cuántas de esas vidas has podido llevar tu cojín? (Risas) ¿Qué?

E: Todas ellas.

R: ¿Te has llevado el colchón del dinero contigo a todas esas vidas, el cojín de la supervivencia?

E: Sí.

R: Cuando hablas de la supervivencia estás hablando sobre tu cuerpo, estás asumiendo que eres un cuerpo y que solo con el dinero puede sobrevivir. Deja de respirar y respirar energía dentro de tu plexo solar, no inhales un montón grande de aire para hacerlo. Observa que puedes tomar tres o cuatro respiraciones de energía antes de que sientas que tienes que respirar y tu cuerpo se siente energizado. Sí, así. Ahora puedes respirar, respirar energía al mismo tiempo que respiras aire. Así es cómo te conviertes en energía y en dinero, respira energía con cada respiración que tomas, respiras el dinero con cada respiración que tomas; no hay diferencia entre tú y el dinero. Muy bien. ¿Captas eso ahora? ¿Eso lo explica?

E: ¿Yo consigo eso?

R: ¿Comprendes ahora cómo estás funcionando y lo que tienes como una asunción allí?

E: Sí.

R: Muy bien y ¿Todavía necesitas eso?

E: No.

R: Bueno. Así que ¿qué puedes hacer con él? Cámbialo, tú puedes cambiar esas cosas, quitas la asunción y crea un nuevo punto de vista como poder, como energía, como control, como la creatividad, como el dinero. ¿Qué nuevo punto de vista tienes?

E: Que soy poder, que yo soy energía.

R: Exactamente así y lo eres ¿o no? ¿Y lo has sido siempre? Qué interesante punto de vista. Bien, así que, para la siguiente pregunta ¿quién quisiera ser voluntario?

E: Dijiste que había tres supuestos con su cojín.

R: Sí.

E: Sólo tenemos uno ¿No es así?

R: Tienes dos.

E: ¿Dos? Debo sobrevivir.

R: Sobreviviré, yo debo sobrevivir, yo no puedo sobrevivir.

E: Bueno.

R: Y ¿Cuál es el tercero? Piensa en ello. No estoy dispuesto a sobrevivir. El punto de vista sobreentendido.

CAPÍTULO DOS
¿Qué significa el dinero para ti?

Rasputín: Lean la segunda pregunta por favor y las respuestas.

Estudiante: ¿Qué significa para usted el dinero?

R: ¿Cuál es tu primera respuesta?

E: Seguridad.

R: La seguridad ¿Cómo es el dinero la seguridad?

E: Si lo tienes, estás asegurando tu presente y tu futuro.

R: Interesante punto de vista. ¿Es cierto, es real? ¿Si tienes dinero en el banco y va a pique, estás asegurando? Si tienes tú el dinero invertido en una casa y se quema el día en que se te olvidó hacer el pago del seguro ¿Tienes seguridad?

E: No.

R: Solo hay una única seguridad y no la crea el dinero. La seguridad es en la verdad de ti como un ser, un alma, como ser de luz. Y desde allí creas. Tú eres poder, como energía. Como poder, como energía tienes la única y verdadera seguridad que hay. Si vives en California, sabrías que no hay ninguna seguridad porque bajo tus pies todo se mueve. Pero aquí, en la costa del este, consideras que el suelo es seguro, pero no lo es. Eso que llamas el mundo no es un lugar sólido, es sino energía. ¿Son estos muros sólidos? Incluso tus científicos dicen que no, que las moléculas se mueven solamente más lentamente, por eso es que parecen ser sólidos.

¿Eres sólido? ¿Seguro? No, eres el espacio entre un montón de moléculas que han creado y formado una apariencia de solidez. ¿Es esto seguridad? Si estuvieras seguro con el dinero ¿Podrías llevártelo cuando te mueras? ¿Podrías arreglártelas para conseguir un cuerpo nuevo y volver por él en la siguiente vida? ¿Por lo tanto, es realmente seguridad lo que compras con el dinero, eso realmente significa seguridad o es sólo un punto de vista que has tomado, que han comprado de otro, en cuanto al cómo crear tu vida?

E: Entonces, lo que me estás diciendo es que si pienso en el dinero ¿Lo puedo crear?

R: Sí. ¡No si lo piensas pero, si es lo ERES!

E: ¿Cómo me convierto en dinero?

R: En primer lugar, debes tener la visión de tu vida, y lo haces con "yo soy creatividad". Eres la creatividad como una visión. Eres "yo soy poder", como energía. Eres "yo soy consciencia", como saber exactamente que el mundo será como lo ves. Y eres "yo soy control", no en el interés creado en cómo llegar allí, sino en la concienciación de que el universo mueva los engranajes para producir tu visión si mantienes tu poder y mantienes tu concienciación en alineación con lo que haces. Entonces, si tienes esos cuatro elementos en su lugar, puedes convertirte en "Yo soy el dinero".

Y puedes utilizar éstos, se puede decir, "yo soy energía, soy concienciación, soy control, yo soy creatividad, yo soy dinero". Y usarlos cada mañana y cada noche hasta que te conviertas en dinero, hasta que te conviertas en creatividad, hasta que te conviertas en concienciación, hasta que te conviertas en control, hasta que te conviertas en poder. Así es cómo te conviertes en dinero. El "yo soy" de serlo. Porque así es esto, así es cómo te creas a ti mismo ahora. Ves, si estás creándote desde el punto de vista de "Estoy obteniendo seguridad al obtener dinero" ¿Qué es eso? Es una secuencia de tiempo, un devenir ¿No es así?

E: Correcto.

R: Por lo que nunca puedes lograrlo.

E: ¿Siempre tienes que estar en el presente?

R: ¡Sí! "Yo soy" te pone siempre en el presente. Por lo tanto ¿Qué otro punto de vista tienes sobre el dinero, lo que significa para ti?

E: Bueno, la seguridad era mi principal, porque los otros dos serían hogar y futuro. Pero, si tuviera seguridad, mi casa sería segura y mi futuro sería seguro. Así que es realmente...

R: ¿Realmente? ¿Es eso realmente cierto?

E: No, no, no, no lo es. Entiendo a través de por dónde me llevaste a mi necesidad primaria de seguridad.

R: Sí, bien.

E: Yo entiendo el «Yo soy»

R: Sí. ¿Alguien más tiene un punto de vista del que desee claridad?

E: La felicidad.

R: La felicidad, el dinero te compra felicidad ¿eh?

E: Yo creo que sí.

R: ¿Realmente? ¿Tienes dinero en tu bolsillo?

E: No mucho

R: ¿Estás contento?

E: ¡Uh! huh.

R: Así, el dinero no te compro eso o ¿Sí?

E: No.

R: Así es, tú creas la felicidad, tú creas la alegría en tu vida, no el dinero. El dinero no compra la felicidad, pero si tienes el punto de vista que el dinero compra felicidad, y si no tienes el dinero ¿Cómo puedes tener felicidad? Y el juicio que sigue es decir, "No tengo suficiente el dinero para ser feliz". Y aun cuando consigas más, aun así no tendrás suficiente dinero para ser feliz. ¿Captas el punto? ¿Qué piensas sobre ello?

E: Es que, como que yo siempre estoy feliz aunque no tenga el dinero, pero sabiendo tengo que pagarle a alguien el jueves, sabiendo que no tengo el dinero, tiende a ponerme de mal humor.

R: ¡Ah!, ay vamos, ahora nos estamos metiendo en – el tiempo. ¿Cómo creas el dinero?

E: Con un empleo, por trabajar.

R: Es un interesante punto de vista. ¿Te refieres que sólo puedes recibirlo trabajando?

E: Esa es mi experiencia.

R: Así que ¿Cuál punto de vista va primero, la idea de que hay que trabajar para conseguir el dinero o la experiencia?

E: La idea.

R: Bien. La has creado ¿No es así?

E: Sí.

R: Así que, eres responsable de él; has creado el mundo exactamente como es tu patrón de pensamiento. ¡Tiren sus cerebros, se interponen en sus caminos! Si piensas, no llegarás a ser rico, llegarás a ser limitado. Interpones ese proceso de pensamiento en tu camino y entonces quedas disminuido, te has limitado a ti mismo en lo que vas a lograr y lo que vas a conseguir. Siempre has sido capaz de crear felicidad, ¿no es así?

E: Sí.

R: Son sólo las cuentas las que se interponen en tu camino, ¿no es así?

E: Sí.

R: Porque lo que haces es, que piensas, tienes una visión del dinero, de cómo será tu vida, ¿no es así?

E: Sí.

R: Entonces, obtener esa visión ahora. ¿Cómo se siente? ¿Ligero o pesado?

E: Ligero.

R: Y cuando estés en esta ligereza ¿sabes que pagarás todo lo que debes?

E: ¿Podrías repetirlo?

R: En esta ligereza ¿sabes, cómo concienciación, que siempre pagarás todo lo que debes?

E: Sí.

R: ¿Lo sabes? ¿Tienes absoluta concienciación y certeza de ello?

E: ¿Que tengo que pagarle a todos los que les debo?

R: No, no de que tienes, pero que lo harás.

E: Sí, creo que lo haré.

R: Oh, interesante punto de vista, creo que lo haré. Si estás pensando en que lo pagarás ¿Tienes el deseo de pagar o lo resistes?

E: Lo resisto.

R: Sí, resistes. ¿Sí te resistes a pagar? ¿Cuál es el propósito de resistir?

E: Yo no sabría decirte.

R: ¿Cuál sería el punto de vista subyacente de no desear pagar? ¿Si tuvieras suficiente el dinero, pagarías la factura?

E: Sí.

R: ¿Cuál es tu punto de vista subyacente que no está expresado?

E: Que me preocupa el dinero, que no quiero pagar.

R: Que no tienes suficiente ¿No es así?

E: Sí.

R: Sí, es el punto de vista que no está expresado, es lo que no ves lo que te mete en problemas. Porque es el lugar donde has creado, el punto de vista que no hay suficiente. ¿Así, que has creado eso como la realidad, de que no hay suficiente?

E: Sí.

R: ¿Este es el lugar desde el que te gusta funcionar?

E: No entiendo lo que estás diciendo.

R: ¿Te gusta funcionar desde "no hay suficiente"?

E: Sí.

R: ¿Cuál es el valor de elegir "no hay suficiente"?

E: No hay ninguno.

R: Debe haber alguno o no harías esa elección.

E: ¿Que no todos tenemos ese miedo?

R: Sí, tienes ese temor de que no será suficiente, y todos funcionan desde la certeza de que no habrá suficiente, porque ustedes están buscando seguridad y porque ustedes están buscando la felicidad y porque ustedes están buscando casas y por eso quieren para el futuro, cuando, en realidad, han creado cada futuro que ustedes alguna vez han tenido. Todo pasado, todo presente y todo futuro es creado por ustedes. Y han hecho un trabajo impecable en crearlo exactamente como ustedes piensan. ¿Si creen que no hay suficiente, lo crean?

E: No es suficiente.

R: Exactamente, no va a ser suficiente. Ahora, felicítense por buen trabajo, han hecho un trabajo impecablemente maravilloso creando el "no es suficiente". Felicitaciones, son muy buenos, son grandiosos y gloriosos creadores.

E: Crear nada.

R: Oh, ahora, han creado algo, han creado la deuda ¿No es así?

E: Bien, es cierto.

R: Has sido muy bueno en la creación de deuda, has sido muy bueno en crear "No es suficiente", has sido muy bueno en crear suficiente para alimentarse y vestirse ¿No es así? Así que has hecho es un excelente trabajo de todo lo que forma parte de la creación. Por lo tanto ¿Desde qué punto de vista es que no estás creando? Ninguna limitación, ninguna limitación.

E: ¿No toma mucha práctica?

R: No, no requiere práctica.

E: En verdad, ¿Solo lo hacemos constantemente?

R: Sí, todo lo que tienes que hacer es ser "Yo soy creatividad", la visión de tu vida.

¿Cómo quieres que se vea tu vida? ¿Qué sería si la pudieras crear de cualquier forma que elijas? ¿Sería un millonario o serías un mendigo?

E: Millonario.

R: ¿Cómo sabes que es mejor ser un millonario que un mendigo? Si es millonario alguien podría venir y robarte todo tu el dinero, si eres un mendigo nadie vendría ni te robaría tu dinero. ¿Por lo tanto, deseas ser millonario? ¿Con qué finalidad? ¿Por qué deseas ser un millonario? ¿Qué valor tiene ser millonario? Parece una buena idea, pero sólo parece una buena idea ¿No?

E: Sí, es una buena idea.

R: Es una buena idea, ok. Muy bien. Así que vamos a tener un poco de diversión aquí. Cierra los ojos, obten una visión de un billete de cien dólares en la mano. Ahora rómpelo en pedacitos y ¡oh, qué dolor!

Clase: (Risas).

R: Obtén la visión de mil dólares, ahora rómpelos y échalo a la basura. Duele aún más, ¿No?

E: Sí.

R: Ahora, diez mil dólares y quémalos, tíralos a la chimenea. Interesante, no es tan duro lanzar diez mil dólares en la chimenea ¿Lo fue? Bien, ahora tira cien mil dólares en la chimenea. Ahora lanza 1 millón de dólares a la chimenea. Ahora tira diez millones de dólares a la chimenea. Ahora SE diez millones de dólares. ¿Cuál es la diferencia entre diez millones de dólares en la chimenea y SER diez millones de dólares?

E: Se siente mucho mejor.

R: Bueno, entonces ¿Por qué siempre tiras todo tú dinero a la chimenea?

Clase: (Risas).

R: Ustedes siempre tiran su dinero y siempre están gastándolo como una manera de intentar ser felices, como una manera de sobrevivir. No se permiten a ustedes mismos crear tanto que sientan que tienen dinero, que están dispuestos a ser el dinero. Voluntad de ser el dinero es ser un millón de dólares o diez millones de dólares. Serlo, es sólo energía, no tiene ningún significado real a menos que lo hagan así. Si lo hacen importante, lo hacen pesado. Si es importante, se convierte en una solidez y entonces se han atrapado a ustedes mismos. La caja de tu mundo son los parámetros desde donde crean sus limitaciones. Sólo porque tienen una caja más grande no significa que deje de ser una caja, sigue siendo una caja. ¿Captan el punto?

E: Sí.

R: ¿Te gusta el punto?

E: Sí.

R: Bueno.

E: Sigue siendo difícil. (Risas).

R: Ahora ese es un interesante punto de vista, es difícil ser el dinero ¿eh?

E: Sí.

R: Ahora, veamos ese punto de vista. ¿Qué están creando con ese punto de vista?

E: Yo sé, estoy limitando cosas.

R: Sí, lo estás haciendo difícil, sólido y real. Vaya, hiciste un buen trabajo en eso. Enhorabuena, eres un gran y glorioso creador.

E: Aquellas dos palabras mágicas, yo soy.

R: Yo soy el dinero, yo soy energía, soy creatividad, soy control, soy concienciación. ¿Bien, alguien tiene un punto de vista que le gustaría que explicara más?

E: ¿Puedes hacerlo sin trabajar por él?

R: Puedes hacerlo sin trabajar por él. Ahora hay dos limitaciones muy interesantes. En primer lugar ¿Cómo hacer el dinero? ¿Tienes una imprenta en tu patio trasero?

E: No.

R: Y sin trabajar por él ¿Que es trabajar para ti?

E: Un sueldo.

R: ¿Es un sueldo?

E: Sí.

R: Entonces ¿te sientas en casa y recibes uno de esos?

E: No, voy a trabajar.

R: No, trabajo para ti es algo que odias hacer. Siente la palabra *trabajo*, siéntela. ¿Cómo se siente? ¿Se siente ligera y aireada?

E: No.

R: Se siente como una mierda ¿eh? (Risas). Trabajo, es trabajo mirar en su bola de cristal.

E: No.

R: Bueno, no es de extrañar que no hagas ningún dinero. No ves lo que estás haciendo como trabajo ¿o sí?

E: Aún no sé lo que realmente estoy haciendo.

R: Interesante punto de vista. ¿Cómo se puede ser "yo soy concienciación" y no saber lo que estás haciendo? ¿Cuál es la asunción subyacente que hay? ¿Cuál es el punto de vista subyacente de la cual están funcionando? ¿Es "tengo miedo"?

E: No, no entiendo.

R: ¿Qué es lo que no entiendes? Si dudas de tu capacidad, no puedes cobrar. ¿Sí?

E: No es que lo dudo. Es que no lo entiendo. No sé lo que estoy viendo.

R: Bien, así que libera tu mente, conéctate con tus guías y deja que la bola te guíe. Estás intentando pensar y averiguar desde tu punto de vista del pensamiento. No eres una máquina de pensar; eres psíquico. Un psíquico no hace nada excepto estar ahí para las imágenes que vienen y para soltar la mente y soltar su boca y dejarla fluir. ¿Puede hacer eso?

E: Sí, eso hago.

R: Y lo haces muy bien cuando dejas que suceda. Es solamente cuando pones tu mente en la ecuación que creas discapacidad. La parte desafortunada para ti es que no confías en lo que sabes. No reconoces que, como el ser ilimitado que eres, tienes acceso a todo el conocimiento del universo. Y que solo eres una línea de tubería para el despertar de la consciencia cósmica. La realidad es que vives atemorizado... El miedo al éxito, el temor de tu poder y el miedo de tu habilidad. Y, para cada uno de ustedes, bajo el miedo está la ira, intensa ira y rabia. ¿Y con quien están indignados? Con ustedes mismos. Ustedes están enojados con ustedes mismos por escoger y elegir ser los seres limitados que son, a no caminar en la altura de la fuerza de Dios que son, pero en funcionar al tamaño limitado de sus cuerpos como si fuera el cascarón de la existencia. Expándanse hacia fuera y aléjense sin tener miedo y sin ira, pero en la gran y gloriosa maravilla de su habilidad para crear. La creatividad es visión. ¿Tienes visiones?

E: Sí.

R: Saber, cómo concienciación, saber es la certeza de que estás conectado al poder de ti. ¿Lo tienes?

E: Sí.

R: Y control ¿Estás dispuesto a entregarlo a las fuerzas cósmicas?

E: Si aprendo cómo.

R: No tienes que aprender cómo, tienes que ser "Yo soy el control". Lo que ves fuera de ti, no lo puedes tener. "Aprender cómo" es la manera en la que se crea un debilitamiento y pones en tu cómputo del logro el valor del tiempo que como si realmente existiera. Sabes todo lo que será en el futuro y sabes todo lo que han sido en el pasado, ahora mismo. No hay más tiempo que ese que tú creas. Si te mueves, muévete a ti mismo desde el punto de vista de "Yo soy el control" en la renuncia de la necesidad de averiguar cómo llegar del punto A al punto B, que es "si aprendo". Eso es ir del punto A al punto B. Intentas controlar el proceso y el destino de uno mismo desde la disminución. No puedes conseguirlo a partir de ahí. ¿Entiendes?

E: Sí.

R: ¿Estás dispuesto a mirar tu ira?

E: Sí.

R: Así que mírala. ¿Cómo se siente?

E: Mal.

R: Y ¿Dónde se siente? ¿En qué parte de tu cuerpo?

E: En mi pecho.

R: Así que tómala ahora y empújala un metro delante de ti, de tu pecho. Empújala hacia afuera. Bien. ¿Cómo se siente ahora? ¿Ligero o pesado?

E: No se siente tan pesada.

R: Pero está a un metro de distancia ¿No es así? Ahora, esa es tu ira ¿Es real?

E: Sí.

R: ¿Lo es? Interesante punto de vista. Es sólo un interesante punto de vista, no es una realidad. La has creado, eres creador de tus emociones, eres el creador de toda la vida, eres el creador de todo lo que ocurre para ti. Tú creas y si tienes que poner el tiempo en el cómputo, entonces pon tiempo en incrementos de diez segundos. Bien, vamos a darte una elección. Tienes diez segundos para vivir el resto de tu vida o vas a ser devorado por un tigre. ¿Qué eliges?

E: (Sin respuesta)

R: Se terminó tu tiempo, fin de tu vida. Tienes diez segundos para vivir el resto de tu vida ¿Qué eliges? ¿Ser un vidente o no? No elegiste, tu vida termino. Tienes diez segundos para vivir el resto de tu vida ¿Qué eliges?

E: Ser.

R: Sí, para ser, elige algo. Mientras eliges, así que creas tu vida, así que elige ser el psíquico que eres, elige ser el lector de la bola de cristal, en incrementos de diez segundos. Si tienes que mirar en tu bola ahora y ves en ella y obtienes una imagen en estos diez segundos, puedes responder ¿Qué es?

E: Sí.

R: Bien, tú puedes. Ahora esa vida terminó, tienes diez segundos de vida ¿qué vas a elegir? ¿La imagen y la bola y el hablar o no elección?

E: La imagen y la bola.

R: Bien, así que elígelo, elígelo una y otra vez. Cada diez segundos elige de nuevo, elige de nuevo, échate a andar. Crear tu vida en incrementos de diez segundos. Si creas en otra cosa que no sea en incrementos de diez segundos, estás creando la expectativa de futuro que nunca llega, o el debilitamiento del pasado basándose en tu experiencia, con la idea de que va a crear algo nuevo cuando mantienes el mismo punto de vista. ¿Extraño que tu vida se muestra igual? Nada nuevo estás eligiendo ¿O sí? Momento a momento eliges "no tengo suficiente, no quiero trabajar".

Ahora, vamos a recomendar algunas palabras para que las <u>elimines</u> de tu vocabulario. Hay cinco palabras que debes eliminar de tu vocabulario. Uno: la palabra *quiero*. *Quiero* tiene 27 definiciones que significan "carecer". Han pasado miles de años en que en la lengua inglesa la palabra *quiero* significa "carecer" y han tenido muchas vidas donde has hablado el idioma inglés. Y, en esta vida ¿Cuántos años has utilizado la palabra *quiero* pensando que estabas creando deseo? En verdad, ¿Qué es lo que has creado? *quiero*, carecer; has creado carencias. Por lo tanto, eres un gran y glorioso creador, felicítate.

E: (Risas).

R: Dos: necesidad. ¿Qué es necesidad?

E: La falta.

R: Es el debilitamiento del saber que no puedes tener, no tienes nada si es necesario. Y la necesidad será siempre seguida por la avaricia, porque se intentará obtener. Tres: y entonces llegamos a *tratar*. *Tratar* nunca se logra, *tratar* es no elegir, *tratar es* no hacer nada. Cuatro: entonces tenemos *por qué*. Y *por qué* es siempre la bifurcación en el camino y siempre te regresan al principio.

E: Yo no veo eso.

R: Escuche a un niño de dos años por algún tiempo y lo entenderás.

E: (Risas). Nunca obtendrás una respuesta.

R: Cinco: Pero. Cuando dices "Pero" contrarresta tu primera declaración, "me gustaría ir pero no puedo pagar". Bien, no será necesario. "Necesito" está diciendo "no tengo". "Yo quiero" es decir "carezco". "Trato" es decir "no hacer". ¿eh? Siguiente pregunta.

CAPÍTULO TRES

¿Cuáles son las tres emociones que tienes cuando piensas en el dinero?

Rasputín: Bien, ¿Quién desea ser voluntario para la siguiente pregunta?

Estudiante: ¿Número tres?

R: Número tres. Sí. ¿Cuál es la pregunta?

E: ¿Cuáles son las tres emociones que tienes cuando piensas en el dinero?

R: Cuáles son las tres emociones, sí. ¿Cuáles son las tres emociones que tienes cuando piensas en el dinero?

E: ¡Umm!..

R: Tres emociones cuando piensas en el dinero.

E: La primera que surgió no me gustó mucho, pero es miedo.

R: ¿Miedo? Muy bien. Por lo tanto, ¿Qué punto de vista asumido tendría que tener para tenerle miedo al dinero?

E: Bueno, lo interpreto como diferente ¡Um! tan diferente, lo interpreto como de diferente manera, que temo su ausencia, que...

R: Sí. Por eso, la emoción está allí, temes la ausencia de él debido a que el supuesto básico es...

E: Lo necesito.

R: Anótalo.

E: Y rómpelo.

R: Anótalo y rómpelo.

E: Voy a hacerle una pregunta terrible.

R: Está bien.

E: Bien, voy a la tienda, que necesitan, quieren algo a cambio por lo que voy a tomar de ellos. (Risas).

R: Quiero, quiero, ¿Qué es quiero?

E: (Risas)

R: Ellos carecen, sí, querer significa carecer. Esta es la otra palabra grosera que debes eliminar. Pero ¿para qué vas a la tienda?

47

E: Bien, por comida.

R: Está bien, Así que vas a la tienda por comida. ¿Qué te hace pensar que necesitas comer?

E: Está bromeando. Bueno, yo sé que lo *necesito*.

R: ¿Necesitas? Escríbelo otra vez.

E: *Quiero.*

R: Anótalo y tíralo a la basura. *Necesitar* y *querer* no están permitidos.

E: Pero te da hambre.

R: ¿Realmente? Jala energía hacia tu cuerpo, todos ustedes, métanle energía. Si. ¿Sienten hambre? No. ¿Por qué no comes más energía y menos comida?

E: Eso sería muy bueno por un rato porque podría bajar de peso, pero comenzaría a doler. (Risas).

R: Exactamente así. Metes suficiente energía allí, podrías ser un globo gigante.

E: ¿Qué pasa con mis amigos que me visitan, incluyendo las dos personas que están durmiendo en mi casa ahora mismo?

R: Y ¿quién dijo que necesitas alimentarlos? ¿Por qué no pueden ser una contribución para ti?

E: Lo hacen.

R: Tienen miedo de que no lo recibirás. El miedo es el dinero trabaja solamente en una dirección y que está lejos de ti. Cuando sientes miedo, creas *necesidad* y *codicia*.

E: OK.

E: ¿La *necesidad* realmente surge del miedo, señor?

R: Sí, el miedo, miedo trae *la necesidad* y *la codicia*.

E: ¿Realmente?

R: Sí.

E: Santa cachucha, tienes razón. Creo que me di cuenta otra cosa que es un sistema de creencias básicas o que realmente no es una cosa buena.

R: No es una buena cosa recibir.

E: No es una buena cosa tener demasiado.

R: No es una buena cosa recibir.

E: Bien. O recibir de otros.

R: Recibir, punto.

E: Correcto.

R: Desde cualquier lugar. Muy bien. Qué... Si estás con miedo, no estás dispuesto a recibir porque piensas que eres un pozo sin fondo y donde vives es un agujero profundo y oscuro. Miedo siempre es el agujero en ti, es un lugar sin fondo. El miedo hace necesitar, avaricia, y te conviertes en un imbécil en el proceso. ¿Muy bien?

E: Todo bien.

R: Siguiente emoción.

E: Deseo de más.

R: Deseo, ah, sí. Ah, sí, ahora deseo – ¿Qué es eso? ¿Saldrás a mover tus caderas para conseguir más?

E: (Risas) Sabía que no era la más grandiosa.

R: Deseo significa, y automáticamente tendrás que "obtener más". Nota, conseguir más, una insuficiencia que va junto con el miedo.

E: Sabes, no es solo para obtener más dinero, pero...

R: Conseguir más, punto. El dinero no tiene nada que ver con la realidad de lo que estás experimentando. El dinero es el tema alrededor del cual se crea una realidad de la nada, de no es suficiente, *querer, necesidad, deseo y codicia.* Y es lo mismo para todos en este plano. Es desde donde el mundo ha funcionado.

Tienes un gran ejemplo de lo que ustedes llaman los 80'tas y ha sido la verdad de este mundo desde el momento en que decidiste, todos decidieron, que el dinero era una necesidad. Una necesidad. ¿Qué es una necesidad? Algo de lo que no puedes prescindir y sobrevivir. Ustedes, como seres, han sobrevivido a millones de vidas y no pueden incluso recordar cuánto dinero tuvieron o cuánto dinero gastaron o cómo lo hicieron. Pero ustedes están todavía aquí y aún sobreviven. Y cada uno de ustedes fue capaz de llegar a un lugar para entender más acerca de él.

No funcionen de la asunción de que es una necesidad, no es una necesidad, es el aliento de ustedes, es lo que eres, eres el dinero en totalidad. Y, cuando te sientes a ti mismo como el dinero y no como necesidad, no como necesidad, eres expansivo. Y cuando ustedes se sienten como necesidad, en relación al dinero, se disminuyen ustedes mismos y detienen el flujo de energía y el dinero. Y ¿tu tercera emoción?

E: La felicidad.

R: ¡Ah!, ahora, felicidad ¿En qué sentido? ¿Felicidad cuando lo gastas, felicidad cuando lo tienes en el bolsillo, felicidad cuando sabes que viene, felicidad porque es dinero? ¿Puede sólo mirar un billete de un dólar y tener felicidad?

E: No.

R: ¿Qué parte de él te trae felicidad?

E: El saber que ciertas cosas pueden lograrse o hacerse.

R: ¿Así que el dinero compra la felicidad?

E: Bueno, usé la palabra mal ¡Umm!..

R: ¿Cómo llega la felicidad por del dinero?

E: No necesariamente viene de él.

R: ¿Cómo sientes la felicidad en relación con el dinero? ¿Cuándo tienes suficiente? ¿Cuándo tienes abundancia de él? ¿Cuándo sientes seguridad?

E: Sí, seguridad.

R: La seguridad. Interesante punto de vista.

E: Pero no existe tal cosa como seguridad.

R: Bueno, la hay. Hay seguridad. Hay seguridad en el saber y tener la concienciación de uno mismo. Es la única seguridad que hay, la única seguridad que se puede garantizar es que transitaras por esta vida y vas a dejar este cuerpo y tendrás la oportunidad, si lo deseas, de volver y probar otra vez a ser la criatura más abundante sobre este mundo. Pero la felicidad está dentro de ti, tienes felicidad, eres felicidad, no la consigues del dinero. Para ser feliz, se necesita ser feliz, eso es todo. Y eres feliz excepto cuando decides estar triste. ¿Verdad?

E: Correcto.

R: ¿Alguien más tiene emociones de las que deseen hablar?

E: Bien, me gustaría hablar un poco más sobre el miedo.

R: Sí.

E: Porque he gastado enormes cantidades de energía en la emoción del miedo.

R: Sí.

E: Y detrás de miedo, bajo el temor, está siempre el enojo.

R: Sí, exactamente así. Y de que estás verdaderamente enojado. ¿Con quién estás enojado?

E: Conmigo mismo.

R: Exactamente así. Y ¿sobre qué estás enojado?

E: Sentir el vacío.

R: No asumir tu poder.

E: ¡Em¡ eh.

R: No ser tú en totalidad. ¿Sientes eso?

E: Muchísimo.

R: Siente, en tu cuerpo, donde temes y está la ira.

E: Sí.

R: Ahora cámbiala en dirección contraria. Ahora ¿cómo se siente?

E: Alivio.

R: Sí y así es cómo te deshaces del miedo y la ira para hacer espacio para ti. ¿Porque si te miras a ti mismo, no hay ningún temor en tu universo? ¿O sí?

E: No.

R: Y la única rabia que puedes expresar es hacia otros porque tu ira real es sobre ti y donde te has negado a asumir la verdad de tu energía en totalidad. ¿Así que, puedes ser el poder que eres, la energía que eres? Así que déjala ir, deja de sostenerla dentro. Allí, así. ¡Uf! Que alivio ¿Eh?

E: Sí.

R: Ahora, tienes que practicar esto, ¿Está bien?

E: Sí.

R: Porque se han disminuido, como todos los demás en esta habitación, continuamente por miles de millones de años, para no ser ustedes mismos, no ser poder. Y lo han hecho para aplastar su propia ira. ¿Interesante? ¿eh? Enojo consigo mismos. Y no hay uno de ustedes aquí que no esté enfadado consigo mismo por no permitirse ser el poder en totalidad. Bueno, se llevó algunas cosas. ¿Bien, alguien quiere hablar de las emociones?

E: Me gustaría hablar sobre el miedo una vez más, desde mi punto de vista. Cuando llego al miedo es una constricción, un cierre.

R: Y ¿dónde lo sientes?

E: En mi plexo solar.

R: Bueno. Resulta así, gíralo hacia fuera. Allí, así. ¿Cómo se ve ahora?

E: Entre lágrimas.

R: Bueno. ¿Y lo que está por debajo de las lágrimas?

E: Ira.

R: Ira. Sí, allí, eso que has atado en un nudo allí. ¿Lo tienes bien escondido? ¿Eh? Tú piensas. Bien, no dejas salir la ira, que no la dejas salir en su totalidad. Siente el enojo, dejarlo salir de ti. Sí, allí, eso es todo. Ahora observa la diferencia y la expansión. ¿Lo sientes?

E: Sí, se siente muy bien.

R: Sí, se siente muy bien. Es la verdad de ustedes, están haciendo expansión como estar en el exterior de su cuerpo, sin tener la capacidad de conectarse en todo este lugar. Siente, mientras dejas la ira salir, la realidad de conectarse a sí mismo en totalidad, no como algún tipo de entidad espiritual, sino como la verdad de uno mismo. Hay una calma y una paz que viene sobre ti cuando lo haces en verdad. Dejarla salir en totalidad. Así, ahí.

E: Lo hago, ya lo he captado.

R: Sientes, que es la confianza de quien eres, que es poder. Lo otro hay que removerlo.

E: Es como que lo siento venir hacia mí mismo.

R: Exactamente así. Es estar totalmente conectado, totalmente consciente, totalmente en conciencia y control. ¿Cómo se siente control desde este lugar?

E: Se siente muy diferente del otro control.

R: Sí, el otro está tratando de controlar tu ira, ¿no es así?

E: Bueno, supongo.

R: Bueno, en última instancia estás intentando controlar tu ira porque la verdad es que no te permites brillar. Hay paz, hay tranquilidad y hay magnificencia dentro. Pero la retacas por debajo de ira. Ya que piensas que tu ira no es apropiada, te disminuyes a ti mismo. Y tratas de controlarla y puedes tratar de controlar todo a tu alrededor, como una manera de esconderla de ti mismo. Con quien estás enojado, contigo mismo. Estate en paz contigo mismo. Allí, justo allí. ¿Sientes eso?

E: Así es.

R: Sí, eso es todo. Y eso eres tú. Siente tu energía expandiéndose.

E: ¡Oh! Es tan diferente.

R: Extremadamente. Sí, eso es todo, dinámicamente tú, ese es quien verdaderamente eres. Todo bien.

E: Es negrura y creo que tengo cierto control sobre ella y yo...

R: Todo bien.

E: También sé que tengo alguno fuera de control en ella en este punto.

R: Entonces ¿dónde sientes la negrura?

E: Me parece creo que entro en ella en lugar de ella en mí, no estoy seguro de eso.

R: ¿Dónde la sientes? ¿Está fuera de ti? ¿Está en ti? Cierra los ojos, siente la negrura. ¿Dónde la sientes?

E: Creo que en mi zona baja del estómago y luego dejé que se tragara.

R: Bueno. Entonces ¿cómo piensas sentirla? Está en tu mente...

E: Ok, toda.

R: ¿... que está experimentando la negrura? Y lo que es, es el sentido de que no hay nada excepto negrura conectada al el dinero. Y que de alguna manera esa negrura tiene que ver con el mal y, por lo tanto, la recepción de la misma no está permitida en absoluto. ¿Allí, sientes ese cambio? Cámbiala, sí ahí. Tórnala blanca, allí, sientes la abertura de tu corona. Sí y ahora lo que tú llamas la negrura se puede desparramar. Y lo que es la realidad de ti está presente. Observa la diferencia en tu energía. Deja ir la idea, la emoción del mal como una realidad, porque no es realidad. Es sólo un punto de vista interesante. ¿Muy bien? ¿Otras emociones?

E: Creo que mi emoción dominante sobre el dinero es ambivalencia.

R: ¿Ambivalencia? Ambivalencia, sí. ¿Qué es la ambivalencia? ¿Dónde la sientes?

E: La siento en mi plexo solar y en mis chakras inferiores.

R: Sí, es ambivalencia sobre el desconocimiento de este plano. El sentido que el dinero pertenece a algo que no entiendes. ¿Sientes ese cambio en tus chakras inferiores?

E: Sí.

R: Ese es el resultado de conectar con el hecho de que eres concienciación, y como concienciación, tienes el dinero, como concienciación, también eres poder y los chakras están conectados a la energía, que eres tú. Ahora ¿la ambivalencia todavía existe para ti?

E: No.

R: Bien. ¿Alguna otra emoción?

E: Tengo una.

R: Sí.

E: Siento repugnancia y vergüenza.

R: Muy buenas emociones, repugnancia y vergüenza. ¿Dónde las sientes?

E: Creo pienso que la siento...

R: ¿Piensas los sentimientos?

E: No. En mi estómago y mis pulmones.

R: En el estómago y los pulmones. Así, que para ti el dinero es respirar y comer. Vergüenza, cámbiala hacia fuera, sácala de tu estómago. ¿Sí, sientes eso, sientes la energía de tu chakra del estómago como ahora se está abriendo?

E: Sí.

R: Bien. ¿Y cuál es tu otra emoción?

E: Repugnancia.

R: Repugnancia. En los pulmones. Repugnancia porque significa que te debes sofocar para conseguirlo. Desde tu punto de vista debes asfixiarte a ti mismo para ganar el dinero. ¿Es esto una realidad?

E: Sí.

R: ¿Lo es?

E: No, no, no.

R: Bien.

E: Lo reconozco como ser.

R: ¿Cómo estás funcionando?

E: Sí.

R: Bien. Así que cambia esa respiración y exhala todo. Bueno, ahora inhala el dinero. Bien y exhala la vergüenza. E inhala el dinero a través de cada poro de su cuerpo y exhala repugnancia. Sí, ahora ¿cómo te que sientes? ¿Un poco más libre?

E: Sí.

R: Bien. ¿Alguien más quiere hablar de emoción?

E: El miedo.

R: Miedo ¿Qué otras emociones?

E: Ansiedad y alivio.

R: ¿El dinero te da alivio?

E: Sí.

R: ¿Cuando?

E: Cuando viene a mí.

R: ¡Em! Interesante punto de vista. Ansiedad y miedo, tomemos esos primeros porque son lo mismo. ¿Dónde sientes el miedo y ansiedad? ¿En qué parte de tu cuerpo?

E: Mi estómago.

R: Estómago. Bien, empuja eso fuera de tu estómago, un metro fuera y enfrente de ti. ¿Cómo se ve para ti?

E: Verde y baboso.

R: ¿Baboso?

E: Sí.

R: Sí. ¿Cuál es la razón por la que es verde y baboso?

E: Porque no lo puedo controlar.

R: ¡Ah! Interesante punto de vista, ningún control. ¿Ves que no estás siendo "Yo soy el control"? Estás diciéndote a ti mismo, "no lo puedo controlar, no estoy en control". Es la asunción subyacente desde la que funcionas. "No estoy en control, no tengo control". Por lo tanto has creado, muy bien hecho, ansiedad y el miedo.

E: Sí.

R: Bien, eres un gran y glorioso creador ¡Bien hecho! ¿Te felicitaste a ti mismo por tu creatividad?

E: Con vergüenza, sí.

R: ¡Ah! Interesante punto de vista. ¿Por qué vergüenza?

E: Porque no sabía que había algo mejor.

R: Sí, pero no importa si sabías o no. Lo que importa es que ahora entiendes que eres creador y que has hecho un magnífico trabajo de creación, que significa que puedes elegir diferente y puedes crear un resultado diferente.

E: Se necesita disciplina.

R: ¿Disciplina? No.

E: Con suerte.

R: No ¡Con _poder_! Tú eres energía como energía, "yo soy poder, yo soy concienciación, yo soy creatividad, yo soy control, yo soy el dinero". ¿Todo bien? Así es cómo creas el cambio, al convertirte en el «yo soy» que eres en lugar de «yo soy» que has sido. Empezaras a mirar donde has creado el punto de vista de solidez alrededor del dinero y lo que se siente. Cuando te sientas impactado sobre una parte del cuerpo, empújalo hacia fuera de ti y pregúntate, "¿Cuál es el punto de vista subyacente desde el que yo estoy funcionando que ni siquiera veo?" Y permítete tener la respuesta. Luego, deja que la respuesta sea sólo un punto de vista interesante ya que de todos modos, después de todo, eso es.

Y ¿Qué puedo elegir ahora? Elige "yo soy creatividad, yo soy concienciación, yo soy control, yo soy poder, yo soy el dinero". Si creas "no puedo", si crees que no puedes, no serás capaz. También, felicítate a ti mismo sobre lo que has creado y hazlo con gran y glorioso gusto. No hay nada de malo con lo que has creado y hazlo con gran y glorioso gusto. Y no hay nada de malo lo que has creado excepto tu propio juicio de ello. ¿Si fueras una pordiosera en la calle, sería una mejor creación o una peor creación de la que tienes actualmente?

E: Peor.

R: Interesante punto de vista.

E: No, si no lo sabías.

R: Es cierto, no si no lo sabías. Ya sabes que tienes elección, puedes crear. Ahora ¿qué pasa si tu vecino te dice que no cobraras esta semana porque "usara todo el dinero para pagar la valla que has dañado"?

E: Un interesante punto de vista.

R: Exactamente, es un interesante punto de vista. Eso es todo lo que es. Si te conviertes en resistencia o en reacción a ello, lo haces una solidez y de todos modos tu vecino se llevará el dinero.

E: Entonces, lo que nos estás diciendo es que cuando alguien viene con lo negativo...

R: Con cualquier punto de vista sobre el dinero.

E: Bien, es un interesante punto de vista.

R: Sí, siente tu energía cuando haces eso.

E: Ok ¿y luego me voy a los "yo soy"?

R: Sí.

E: Lo capte. Se hizo la luz.

R: Y cuando te sientas impactado en tu cuerpo, por un punto de vista particular, ansiedad o miedo ¿De qué se trata eso?

E: Tienes que sacarlo y empujarlo lejos de ti.

R: Sí. ¿Y cuando sientas ansiedad y miedo en el estómago, estás hablando de que no te alimentas lo suficiente?

E: No.

R: ¿Estás hablando de no nutrirte? Así que ¿de qué hablas? El cuerpo es lo que está hablando. Sientes el dinero en función de tu cuerpo como si fuera una tercera realidad dimensional. ¿Es el dinero una tercera realidad dimensional?

E: No.

R: No, no es, sin embargo tratas de hacerlo así. Buscas en tus puntos de vista sobre el dinero, esa seguridad, esa casa, esas facturas, ese alimento, ese refugio, esa ropa. ¿Es eso cierto?

E: Bueno, eso es lo que compras con él.

R: Eso es lo que <u>compras</u> con él, pero lo haces por elección ¿No es así?

E: ¡Ah! necesidad.

R: Eso es lo que estás eligiendo en estos diez segundos. Necesidad ¿eh? Interesante punto de vista. ¿Eliges la ropa que llevas por necesidad?

E: Sí.

R: ¿Eso Haces?

E: Sí, eso hago.

R: ¿No la eliges porque está bonita o porque te hace que verte bien?

E: Más de las veces es para mantenerme caliente.

R: Y en el verano ¿Cuando usas un bikini?

E: Genial y entonces es para verme bien. (Risas).

R: Bien, así que estas eligiendo, no es una necesidad más bien lo que deseas sentir ¿No es así? ¿Sentir?

E: Sí, pero, la necesito...

R: ¡Pero! Desecha esa palabra.

E: ¡Huy! (Risas). Tienes que tener zapatos y todavía tienes...

R: Cómo es que tienes que tener los zapatos, puedes caminar descalzo.

E: Tal vez pueda pero...

R: Seguro que puedes.

E: Los necesito, hace frío allá afuera.

R: Necesitas ¿eh?

E: La ropa interior y calcetines...

R: Necesitas ¿eh?

E: Tienes que tener.

R: ¿Quién dijo? ¿Cómo sabes que no puedes hablar con tu cuerpo y pedirle que te haga sentir más cálido?

E: Entonces, qué pasa con...

R: Tú, como ser, ni siquiera necesitas el cuerpo.

E: Bueno, sería genial.

R: Eso es genial.

Clase: (Risas).

R: ¿Sí?

E: Bueno, tienes que tener comida, usar zapatos.

R: No usamos nada. Gary lleva zapatos pero eso es porque eres un pelele, que no caminaría en la nieve sin ellos.

Clase: (Risas).

R: El piensa que hace frío.

E: Así es.

R: Bueno, eso es un interesante punto de vista. Debes probar ir a Siberia si deseas frío.

E: Y tus hijos ¿cuando tienen hambre?

R: ¿Cuántas veces han estado tus hijos hambrientos?

E: Un par de veces.

R: ¿Y cuánto tiempo estuvieron hambrientos?

E: Durante la noche.

R: ¿Y qué hesite?

E: Conseguí el dinero de mi padre.

R: Creaste ¿no es así?

E: Sí.

R: ¿Te felicitaste por tu capacidad creativa?

E: Bueno, agradecí a mi padre.

R: Bueno, eso es una forma de crear. Creación, creatividad, es ser la concienciación de uno mismo. Se "Yo soy creatividad", se "Yo soy concienciación", se "Yo soy el poder", se "Yo soy el control", se "Yo soy dinero". Te resistes; *"pero"*, *"necesita"*, *"por qué"*, *"debes"*, *"es una necesidad"*, son todos puntos de vista de *"No puedo tener"* y *"No merezco"*. Estos son los lugares subyacentes desde donde están funcionando. Ésos son los puntos de vista que están creando sus vidas. ¿Es desde donde ustedes desean crear?

E: Bueno, veo en todos los aspectos por el dinero.

R: Sí, pero el dinero porque ven al dinero como diferente. ¿Cómo ven al dinero – la raíz de todo mal?

E: Sí.

R: ¿De quién es el punto de vista? En verdad, no es el suyo, es uno que compraron. ¿El diablo me hizo hacerlo? ¿Eh? Verás, es una realidad que están creando como diferente, como no siendo parte de tu creatividad.

E: Así que si te dices a ti mismo todos los "yo soy" ¿van a poner el dinero en mi bolsillo?

R: Va a empezar a venir en tu bolsillo. Cada vez que dudes, despostillas la base fundacional que estás creando. Pongámoslo de esta manera: ¿Cuantas veces se han dicho, "yo quiero dinero"?

E: Todos los días.

R: Todos los días. Yo quiero dinero. Están diciendo, "Carezco de dinero". ¿Qué han creado?

E: Pero es cierto.

R: ¿Eso es cierto? No, es sólo un punto de vista interesante. Han creado exactamente lo que han dicho: Quiero el dinero. Ahora, que lo hicieron inconscientemente, pero si crearon.

E: Bueno ¿qué tal si quiero pegarle a la lotería?

R: Sí, "carecieron" de pegarle a la lotería, que es exactamente lo que crearon – falta de pegarle a la lotería.

E: El poder de la percepción es lo que estamos diciendo.

R: El poder de tus palabras, de su concienciación, crea la realidad de tu mundo. ¿Quieres un simple ejercicio? Di "no quiero dinero."

E: ¿Podemos elegir en su lugar algo más?

R: Digan "yo no quiero el dinero".

E: Yo no quiero el dinero.

R: Digan "yo no quiero el dinero".

E: Yo no quiero el dinero.

R: Digan "yo no quiero el dinero".

E: Yo no quiero el dinero.

R: Digan "yo no quiero el dinero".

E: Yo no quiero el dinero. Suena negativo para mí.

R: ¿Realmente? ¿"No carezco de dinero" es negativo?

E: Pero queremos dinero.

R: ¡Ustedes no quieren el dinero!

R: Eso es lo correcto. Yo no quiero el dinero. Sientan la energía de ello, siente cómo te sientes cuando dices, "Yo no quiero el dinero". *Querer* significa carecer, estas tratando de aferrarte a la definición. Yo soy dinero. No puedes ser "tengo dinero", no se puede tener algo que no eres. Ya están siendo creatividad como "quiero el dinero" y así han creado una abundancia de carencia. ¿No es así?

E: Sí.

R: Bien, por lo tanto ya pueden decir ahora, "Yo no quiero el dinero".

E: Yo no quiero el dinero (repetida muchas veces).

R: Ahora, siente tu energía, estás más ligero. ¿Por lo tanto, sientes eso?

E: Sí, estoy mareado.

R: Estás mareado porque lo que has creado es un rompimiento de la estructura de la realidad como la habías creado. Todos ustedes lo tienen; díganselo a ustedes mismos y sientan cómo se vuelven más ligeros y habrá más risas en sus vidas cuando dicen "yo no quiero dinero".

E: ¿Puedes decir "yo soy rico"?

R: ¡¡No!! ¿Qué es riqueza?

E: La felicidad.

R: ¿Realmente? ¿Crees que Donald Trump es feliz?

E: No, no ricos en dinero.

E: ¡Ah! Como el dinero controla lo que tenemos que...

R: Ese es un interesante punto de vista ¿De dónde sacaste eso?

E: Porque...

R: ¿De dónde sacaste ese punto de vista?

E: Saque esa idea de pensar en...

R: Ven, es esa cosa de pensar, los mete en apuros. (Risas). ¿Se sintió bien?

E: No.

R: No, no se siente bien, no es cierto. Si dices "yo soy rico" ¿se siente bien?

E: Se sentiría bien.

R: ¡Oh! Interesante punto de vista – ¿Se sentiría bien? ¿Cómo lo sabes, has sido rico?

E: Bueno, tenía el dinero cuando me...

R: ¿Has sido rico?

E: No

R: No. ¿Puedes ser rico?

E: Sí.

R: ¿Realmente? ¿Cómo puedes ser rico cuando solamente puedes decir "si fuera"? Vez, está mirando al futuro y una expectativa de él y lo que debería ser, que no lo es.

E: Es, es, como tienes un jefe que va a pagar y que tienes que hacer lo que dice y tienes que...

R: ¿Tienes un jefe que te paga?

E: No por el momento pero...

R: Eso no es cierto, tienes un jefe que te paga y ella no paga muy bien porque ella no está tomado dinero por lo que puede hacer. Eres tú, ¡corazón! Tú eres tu jefa. Crea tu negocio, crea tu vida y permite que venga a ti. Estás atorándote en el armario y diciendo: "no puedo, no puedo, no puedo". ¿Que está creando ese punto de vista? ¿Qué sucede si dices, "yo puedo y entiendo", en lugar de, "no puedo y no entiendo"? ¿Qué pasa con tu energía? Siente tu energía.

E: Estoy atrapada justo en el punto donde los niños no pueden comer sin el dinero.

R: ¿Quien dijo que estarías sin el dinero? Tú lo hiciste, asumes que no tendrías ningún dinero a menos que hagas algo que odias. ¿Con qué frecuencia ves al trabajo como diversión?

E: Nunca.

R: Ese es el punto de vista; es el punto de vista subyacente. Y sin embargo, si dices, mi trabajo está trabajando con la bola de cristal. Así que nunca te ves a ti misma divirtiéndote. ¿Te gusta lo que haces?

E: Sí.

R: Así que ¿cómo es que, si haces lo que te gusta, no te permites recibir?

E: No sé lo suficiente todavía, necesito más información.

R: No necesitas más información, tienes a tu disposición diez mil vidas de ser una lectora de la bola de cristal. Ahora ¿qué tienes que decir sobre el aprendizaje, además de, ¡oh, mierda!?

Clase: (Risas).

R: Atrapada, atrapada, no tienes ningún lugar para irte a ocultar.

E: Entonces, leí lo que vi en la bola y fue inexacto y me sentí como una tonta.

R: Sí. (Risas) ¿Cómo sabes que era inexacto?

E: Bueno...

R: ¿Y bien?

E: No sé.

R: Así que ¿regresaran?

E: No sé.

R: Y cuando lo hagas para la siguiente persona y lo hagas bien, ¿regresaran?

E: Sí, tendría que decir que sí.

R: Entonces ¿cómo es que dices que no sabes? Que, ¿estás mintiendo?

E: ¿Qué pasa?

R: ¿A quién le estás mintiendo?

E: Es, es...

R: ¿A quién le estás mintiendo? ¿A quién le estás mintiendo?

E: Te lo juro, no sé lo que estoy viendo.

R: Eso no es cierto, eso no es cierto. ¿Cómo es que tienes clientes que regresan a ti que piensan que...?

E: Acerté.

R: Sí, tienes razón. ¿Qué te hace pensar que no acertaras todo el tiempo? ¿Cuántos clientes tienes que no regresan contigo?

E: Ninguno.

R: ¡Vaya! Este si es un caso difícil. Toma mucho convencerla ¿No es así? Ella definitivamente va a asegurarse de que no tenga dinero ni abundancia, y de que no haya prosperidad en su vida. Interesante jefa que tienes. No sólo no te pagas bien, incluso no reconoces como tienes un negocio que te da lo suficiente. Entonces, para saber que lo estás haciendo bien, has creado a los clientes que regresan una y otra vez. ¿Sabes a cuántos clientes se necesitaría aumentar para darle abundancia en tu vida?

E: Tal vez treinta más a la semana.

R: Bien, así que ¿podrías permitir que treinta o más entren en tu espacio a la semana?

E: Sí, sin ningún problema.

R: ¿No hay problema?

E: No hay problema.

R: ¿Segura?

E: Sí, estoy positiva de eso.

R: Bien, así que ¿te puedes permitir tener cien mil dólares? ¿Un millón de dólares?

E: Sí.

R: ¿Diez millones de dólares?

E: Sí.

R: Bien, cambiaste ahora un poco, muchas gracias, te lo agradecemos todos. Eres una creadora, una creadora grande y gloriosa. Felicítate cada vez que completes una lectura que te gusta. Y haz tu trabajo con amor, que no sea trabajo, se diversión. Te diviertes con lo que haces, no estás teniendo trabajo. El trabajo se siente como mierda, la diversión es diversión, y puedes hacerlo para siempre. Tú creas lo que es, nadie más. Puedes bombear gasolina y divertirte, puedes lavar ventanas y divertirte, puedes limpiar inodoros y divertirte. Y pagarán por ello y tendrás una gran y gloriosa prosperidad. Pero, sólo si te diviertes con eso. Si lo ves cómo trabajo, ya lo has creado como algo que odias. Porque de eso es lo que se trata en este plano: el trabajo es duro, difícil y doloroso. Interesante punto de vista ¿eh?

E: ¿Qué pasa si no sabes lo que quieres hacer?

R: Pero lo sabes.

E: Lo sé, pero antes, no lo sabía antes que me guiaran a él.

R: Y ¿cómo te guiaron a la bola? Te permites conectar a la intuición y de la visión y le pides el cosmos que coincida tu visión y te de lo que deseas. Tú creaste, como visión, tenías el poder de tu ser, el saber, como concienciación, la certeza de que ocurriría y el control para permitir que el universo te lo proporcione. Así que, ya lo tienes, los cuatro elementos para ser "yo soy el dinero". ¿Entendido?

CAPÍTULO CUATRO

¿Cómo se siente el dinero para ti?

Rasputín: Bien. Así que la siguiente pregunta ¿Quién desea ser voluntario para la siguiente pregunta?

Estudiante: Yo lo haré.

R: Sí. ¿Cuál es la siguiente pregunta?

E: ¿Cómo se siente el dinero para ti?

R: Lo que se siente, sí que es correcto.

E: Entonces ¿Es diferente de las emociones que sientes sobre el dinero?

R: Bueno, no necesariamente.

E: Yo dije, "Oh, grandioso".

R: Entonces ¿Cómo se siente el dinero para ti?

E: Ahora mismo se siente muy confuso.

R: Como confuso. ¿Sientes al dinero, esa confusión, es una emoción?

E: Una emoción y un pensamiento.

R: Es un estado de ánimo, sí.

E: Sí.

R: Así que ¿Recuerdas cuando hablamos de lo que era el mareo?

E: Sí.

R: ¿Abriste tu chakra de corona y le permitiste salir? Confusión es una imagen creada del dinero. ¿Qué asunción tendría que tener la confusión? Tendrías que asumir que no sabes. La asunción sería "No lo sé y debería saber".

E: Es por eso por lo que me siento confundido.

R: Es correcto. No sé, debo saber. Estos son puntos de vista opuestos que crean confusión y son solamente interesantes puntos de vista. ¿Sientes ese cambio cuando dices eso sobre cada uno de ellos? Debo saber, No sé. Interesante punto de vista, que no sé. Interesante punto de vista, que debo saber. Interesante punto de vista, que no sé. Interesante punto de vista, que debo saber. ¿Cómo sientes ahora la confusión?

E: Bien, excepto por el hecho de que...

R: Por supuesto.

E: Para mí, ahora mismo, parece muy irreal en el sentido de que las perspectivas para mí son dinero y energía, poder y creatividad, en su pureza, parece muy clara cuando no estoy lidiando con el dinero, donde no tengo que tener un poco de dinero.

R: ¿Cuál es la asunción desde la que estás funcionando?

E: Que hay una realidad no entendida.

R: Exactamente.

E: Ese es realmente el problema.

R: Que no hay problema, esa es la asunción desde la que funcionas, que te dice automáticamente, que es diferente de tu realidad. Tu asunción es que la realidad física no es la misma que la realidad espiritual, como la realidad de quien verdaderamente eres. Que la pureza no existe en este plano, que nunca se puede traer esa pureza a este plano.

E: Eso es.

R: Esos son supuestos, son informaciones falsas que han creado tu realidad.

E: Bueno, también estoy confundido por el hecho de que parece haber otros seres que tienen realidades diferentes y parece como que no hay ninguna confusión en las otras personas. La misma gente, el punto de vista de otras personas, la gente de mi calle, la gente en la tienda.

R: Y ¿De qué es lo que estás hablando? ¿De que existen otras realidades? ¿De qué otras personas tienen diferentes realidades? Sí, hay algunas...

E: Desde un punto de vista diferente y...

R: ¿Existe alguien aquí que no se identifica con lo que ella ha dicho? Todos tienen tú mismo punto de vista.

E: ¿Te refieres a que todos están confundidos?

R: Sí. Todos piensan que no puede traer a la realidad, eso que es el mundo espiritual, a la realidad física, y cada hombre de la calle tiene exactamente el mismo punto de vista. Y sólo aquellos que no compran ese punto de vista, que no asumen que es absolutamente imposible, son capaces de crear y aún ellos sólo son capaces de crear de pequeñas maneras, su realidad.

Si enfocas tu vida a hacer el dinero y tu único objetivo en la vida es que Donald Trump, Bill Gates, eso no importa, la imagen es la misma.

Misma persona, cuerpo diferente, mismo persona. Su vida es acerca de hacer dinero, todo lo que hacen es sobre el dinero. ¿Por qué tienen que hacer mucho dinero? Porque, como tú, están seguros de que se les va a acabar la próxima semana.

E: ¿No es sólo un juego para ellos?

R: No, no es sólo un juego para ellos, están funcionando desde el punto de vista de que no hay suficiente y nunca tendrán suficiente, no importa lo hagan. Es sólo estándar diferente, eso es todo.

E: ¿Estás diciendo que estas personas no sienten una cierta libertad con sus fortunas?

R: ¿Piensa que Donald Trump tiene libertad?

E: Hasta cierto punto, creo que si.

R: ¿Realmente? Es capaz de conducir en una limusina ¿Eso le da libertad o significa que él tiene que tener guardaespaldas para mantenerlo a salvo de todo el mundo a su alrededor, que está tratando de sacarle dinero? ¿Le da libertad el tener a 27 personas que están intentando sacarle dinero cada día?

E: Da la ilusión de libertad.

R: No. Te da la ilusión de que eso es libertad. Solo piensas que es libertad porque no lo tienes. Él no es más libre que tú, tiene más dinero para gastar en cosas que no necesita. ¿Crees que eso lo hace un espíritu más grandioso porque tiene más el dinero?

E: No, seguramente no.

R: ¿Lo hace menos espiritual?

E: No.

R: Oh, interesante punto de vista ¿Lo ven chicos? (Risas). Todos lo estaban pensando, nada más no tuvieron el valor de decirlo, "Bueno, eso lo hace peor porque tiene más el dinero".

E: Sí, tienes razón.

R: Sí, eso es lo que estaban pensando, no lo dicen pero lo estaban pensando.

E: Bueno, eso permite que algunas personas controlen todo a su alrededor.

R: ¿Realmente? Sí, él está controlando, controla el sol, la luna, las estrellas, él tiene el control total de esas cosas.

E: Pero controla la gente ¿No es así...?

R: ¡Oh! control de las personas, así que, ese es su estándar de grandeza.

E: No es mi estándar, no, no, no. No es mi estándar. Estamos hablando de Gates y sus adquisiciones y Trump y sus adquisiciones, para determinar su control.

R: Él está siendo control ¿De verdad?

E: No. Yo...

R: ¿O él está siendo controlado por su necesidad de dinero? Su vida es totalmente encuadrada en la necesidad de crear más y más y más y más dinero. Porque es la única manera en la que él se siente adecuado.

E: Pero creo también el, la energía que transmite para absorber...

R: Bien, tienes otra palabra que vas a poner personalmente en tu vocabulario a eliminar.

E: ¿Cuál?

R: Pero.

E: ¿Pero?

R: Pero. Cada vez que alguien te dice algo, tienes un 'pero' (risas).

E: Esto es verdad para...

R: Es cierto para muchos de ustedes, para la mayoría de ustedes, que cuando se le da una información, inmediatamente empiezan a crear un punto de vista opuesto, debido a que no se alinea o está de acuerdo con ustedes. Porque no se alinea ni está de acuerdo, porque es una resistencia de su parte a permitir que sea o porque están en reacción a ella. Después de todo, es sólo un interesante punto de vista que este hombre está manejado por el dinero.

E: Eso es lo que quería decir pero...

R: No, tienes otro punto de vista, como un interesante punto de vista, que es todo lo que es.

E: Sí, estoy aprendiendo eso.

R: No tiene ningún valor. Cada vez que creas una consideración con respecto al dinero, creas una limitación sobre ti mismo. ¡Sobre ti mismo! Y cada vez que le dices a alguien cuál es tu punto de vista, creas una limitación sobre ellos. ¿Desea crear libertad? Entonces se libertad. ¡¡La libertad es no tener consideración alguna!!

¿Cómo sería el mundo si manifestara toda la luz con facilidad, gozo y gloria, sin tener consideración alguna acerca de las limitaciones?

¿Si tuvieran pensamientos ilimitados y capacidades ilimitadas y permiso ilimitada, había graffiti, habrá gente sin hogar, habrá guerra, habrá devastación, habrá ventarrones?

E: Entonces ¿Cuál es la diferencia? ¿No habría climas?

R: Si no tuvieras ninguna consideración sobre los ventarrones, habrá clima, no tendría que haber tormentas de nieve. Escuchan su televisión, cuando se acerca la hora en que va a nevar, sí, ellos manifiestan, se ponen a hablar de cómo va a ser la gran tormenta. La tormenta del 96, la segunda tormenta de 96, va a ser una tormenta grandiosa y gloriosa y será devastadora y más vale que vayas a la tienda y compres más de inmediato. ¿Cuántos de ustedes compran ese punto de vista y empezar a crear sus vidas desde ahí?

E: No comprar, podía pasar la tarde en el parque.

R: Compraron el punto de vista, eso es de lo que estamos hablando. Instantáneamente decidieron que era verdad. No escuchan sus televisores, deshágánse de ellos. O ven sólo aquellos programas que son totalmente descerebrados. (Risas) Vean "Scooby Doo". (Risas) Vean dibujos animados, hay más puntos de vista interesantes en ellos. Si escuchan las noticias, van a estar muy deprimidos y van a tener muchas ideas sobre lo que el dinero es. Bien ¿Dónde estábamos? Bien vamos a volver aquí. ¿Confusión, entienden la confusión ahora?

E: No.

R: Bien ¿Qué más quieren comprender aquí? Están creando la confusión.

E: ¿Quién soy? ¿Soy un cuerpo? ¿Están aquí? ¿Hay alguien aquí? ¿Existe una realidad? ¿Hay alguna diferencia? ¿Qué diablos es la existencia? ¿Eres tú, o lo es todo, energía pura y no hay ninguna separación entre el espíritu y el alma y la consciencia, eso es todo, no es así, no es así, no es así? No hay nada que decir acerca de nada, así que todo el sufrimiento y el dolor y toda la ilusión y la separación y la confusión, pues bien ¿Qué es eso? ¿Qué?

R: Creación.

E: Así es.

R: Ustedes la han creado...

E: Así en este nivel creamos algo que los seres humanos, que es una creación y este ego de sí que es una creación, considera que hay algo llamado el dinero y ubicación, que es una creación que quiere decir que si estamos en Wall

Street o que estamos haciendo la historia de los Estados Unidos de 1996 de la ciudad de Nueva York, entonces estamos aceptando que tú y estas otras personas coexisten juntos. No entiendo esto.

R: ¿Por qué no entiendes?

E: Todos los demás son tú y tú eres todos los demás.

E: Eso es algo... Que no entiendo.

R: Estás creándote como separada, está creándote como diferente, estás creándote como débil y estás creándote como ira.

E: Estoy tan frustrada.

R: Sí, pero es realmente la ira que hay debajo.

E: Oh, sí.

R: Porque te sientes impotente, es la asunción básica desde la que estás funcionando, y que es siempre la asunción básica de la confusión. Cada confusión se basa en la idea de que ustedes no tienen poder y no tienen ninguna habilidad.

E: Pero yo no.

R: Sí, tú.

E: Siento que yo no.

R: Mira en tu vida, mira tu vida, lo que has creado. ¿Comenzaste con una superlativa cantidad del dinero? ¿Empezaste con un palacio y lo perdiste todo? O ¿Creaste y creaste, y entonces caíste en confusión acerca de ello y entraste en duda al respecto y te sentiste impotente para hacer o saber cómo controlarlo y luego comenzaste a desmoronarte porque estabas creando confusión y creando dudas sobre ti?

Sí, ahí es a donde llego tu vida, pero nada de eso es la verdad para ti. Como ser, tienes total poder de crear tu vida y se puede y lo harás y se aglutinara de manera más magnificente de lo que puedas imaginar. Pero vendrá de tenerte fe, y esto es para todos ustedes. Fe en sí mismos, fe en saber que han creado la realidad que existe ahora y la concienciación de que están dispuestos a cambiarla. Que no desean que sea por más tiempo. Eso es todo lo que necesitan, la disposición a permitir que sea diferente.

E: Entonces si la vida cambia ¿Significa es la consciencia confundida la que crea más de Bosnia y personas sin hogar? Donde va esa consciencia, dónde van las entidades oscuras que puede haber creado, o esa otra parte de mí que ha estado tan separada de vistas de lo que veo en la televisión o las persona sin hogar, dónde van si digo, "Bueno, no están en mi realidad, no creo en ello, no lo elijo nunca más".

R: No es el asunto, ves que lo haces desde la resistencia.

E: Así es.

R: ¿Verdad? Para que el cambio ocurra debes funcionar en permisión, no resistencia, no reacción, alineación ni acuerdo. Permisión es...

E: Estoy dispuesto a permitirlo, solo quiero entender donde...

R: Estás funcionando desde la resistencia porque estás tratando de entender algo que no existe realmente. Que otras personas, de su propio libre albedrío y elección, también están creando algo que no existe, una continuación de la aceptación, alineación o acuerdo, reacción o resistencia.

Ésos son los elementos funcionales de tu mundo; tú, para cambiarlo, debes funcionar en permisión. Y cada vez que estás en permisión, cambias a todos los que te rodean. Cada vez que alguien venga a con un fuerte punto de vista y puedes decir, "Ah, interesante punto de vista", y está en permisión de ella, has cambiado la consciencia del mundo porque no compraste, no la hiciste más sólida, no llegaste a un acuerdo con ella, no la has resistido, no has reaccionado ante ella, no la has hecho realidad. Has permitido a la realidad cambiar y cambiar. Sólo la permisión crea el cambio. Debes permitirte a ti tanto como permites que otros, si no has comprado la tienda y estás pagando con tus tarjetas de crédito.

E: Así que ¿Eso se vuelve la total pacificación para el mundo?

R: Absolutamente no. Hagamos esto, todos ustedes piensen en esto por un minuto. Pero "E", sean los conejillos de Indias, ¿Está bien? Muy bien. Quedan diez segundos para vivir el resto de tu vida ¿Qué vas a elegir? Se acabó tu vida, no elegiste. Tienes diez segundos para vivir el resto de tu vida ¿Qué eliges?

E: Elijo no elegir.

R: Estás eligiendo no a elegir, pero ves puedes elegir cualquier cosa. Si comienzas a darte cuenta de que sólo tienes diez segundos para crear, diez segundos es todo lo que necesita para crear la realidad. Diez segundos, menos que la confianza, pero por ahora, es el incremento en el que debes funcionar. Si funcionas en diez segundos ¿Elegirías alegría o tristeza?

E: Tengo que tomar la tristeza.

R: Exactamente. Ves, has creado la realidad de la elección de tristeza. Y cuando escoges el pasado o escoges la expectativa del futuro, no has hecho ninguna elección en absoluto, no has vivido y no vives tu vida, existes como una limitación monolítica, monumental. Interesante punto de vista ¿Eh?

E: Sí.

R: Bien ¿Cuál es tu siguiente respuesta? Número dos en tu lista de lo que... ¿Cuál fue la pregunta? la hemos olvidado.

E: ¿Cómo se siente el dinero para ti?

R: ¿Cómo se siente el dinero para ti? Sí, gracias.

E: Para mí resultado final, supongo, es en este plano, luchar en la cárcel...

R: Ah, Sí. Muy interesante el punto de vista ¿eh? El dinero se siente como luchar en la cárcel. Bueno, que sin duda describe a todos en esta sala. ¿Hay alguien que no ve eso como la realidad de lo que han creado?

E: ¿Luchar en la cárcel?

R: Sí.

E: Yo no.

R: ¿No ves?

E: Un poco. No entiendo lo que significa realmente.

R: ¿No estás luchando constantemente para conseguir el dinero?

E: Ah, bien,

R: ¿Y no sientes que es una prisión el que no tienes suficiente?

E: Me doy por vencido (risas).

R: Esta bien.

E: Todos debemos estar en una realidad similar.

R: Están viviendo la misma realidad. ¿Por lo tanto, tenemos que hacer siquiera un comentario sobre esto?

E: Sí. ¿Qué hay respecto a "E", con su sistema de trueque?

R: Bueno, ¿No es acaso su propia pequeña prisión?

E: No lo sé ¿Cómo te sientes acerca de eso, "E"?

E: Sí, lo es.

R: Sí, lo es. Verás, todos tienen su propio punto de vista. Están mirando la de "E" y ven su realidad como libertad pero, ella está viendo a Donald Trump como la libertad. (Risas).

E: Bueno, estás diciendo que tenemos que hablar al respecto, bueno ¿Cómo vamos con eso?

R: Permisión. Interesante punto de vista ¿Eh? Que me siento encarcelado por el dinero, que se siente como prisión para mí. Para ti ¿Se siente como terciopelo? Para ti ¿Se siente como expansión? No. Se siente como disminución. ¿Es una realidad o lo que has elegido y cómo has elegido crear tu vida? Es cómo has elegido crear tu vida. No es más real que las paredes. Pero ustedes han decidido que sean sólidas y que mantienen el frío fuera. Y, por lo tanto, funcionan. Así, también, hacen con sus limitaciones sobre el dinero, con el mismo tipo de solidez. Comiencen a funcionar desde la permisión, que es su boleto para salir de la trampa que han creado. ¿Muy bien? Siguiente pregunta.

CAPÍTULO CINCO

¿Cómo se ve el dinero para ti?

Rasputín: Bien, siguiente pregunta ¿Cómo se ve el dinero para ti?

Estudiante: Verde y oro y plata.

R: Así que, tiene color, tiene conformidad, tiene solidez. ¿Es esa la verdad de él?

E: No.

R: No, el dinero es sólo energía, que es todo lo que es. La forma que toma en el universo físico, lo han hecho como significativo y una solidez y alrededor de él crean una solidez de su propio mundo que crea una incapacidad para tenerlo. Si se trata sólo de oro o plata lo que ves, entonces más te vale tener un montón de cadenas alrededor del cuello. Si es verde, al vestirte de verde ¿Tienes el dinero?

E: No.

R: No. Así es que ustedes deben ver el dinero, no como una forma, sino como una concienciación de la energía porque esto es la ligereza de la que puede crear la totalidad en abundancia.

E: ¿Cómo ves la energía?

R: Como la sintieron cuando jalaron de ella con cada poro de su cuerpo; así es cómo ves la energía. Vez la energía con el sentimiento de la concienciación. ¿Está bien?

E: Sí.

R: Síguete pregunta.

CAPÍTULO SEIS

¿A qué te sabe el dinero?

Rasputín: Ahora, la siguiente pregunta. ¿Cuál es la siguiente pregunta?

Estudiante: ¿A qué te sabe?

R: Bueno. ¿Quién desea responder a eso? Esto será divertido.

E: El dinero sabe a chocolate rico y oscuro.

R: ¡Emm! Interesante punto de vista ¿eh? (Risas)

E: Papel, tinta y suciedad.

R: Papel, tinta y suciedad, interesante punto de vista.

E: Una sucia venda para los ojos.

E: Mi paladar al lado de mi boca empieza a salivar.

R: Sí.

E: Dulce y acuoso.

E: Inmundicia resbaladiza, canicas y árboles de durazno.

R: Bien. Muy bien. ¿Así que, tiene un sabor muy interesante para ustedes? ¿eh? Noten que el dinero sabe más interesante que como lo sienten. Tiene más variaciones. ¿Por qué creen que sea? Porque lo han creado como sus funciones corporales. Para E, el dinero es sobre comer, comer chocolate, sí. Si ves que todos tienen un punto de vista sobre cómo sabe el dinero a algo. Es resbaladizo, interesante, ¿pasa a través de la lengua fácilmente? ¿Em? ¿Se baja fácilmente?

E: No.

R: Interesante punto de vista. ¿Por qué no se baja fácilmente?

E: Se pega.

R: Interesante punto de vista: duro, grueso y crujiente. Realmente son interesantes los puntos de vista que tienen sobre el dinero.

E: Pero es mismo punto de vista.

R: Son todos el mismo punto de vista sobre el cuerpo.

E: Aunque parecen diferentes, ella...

R: A pesar de que parecen diferentes.

E: ... Ella dijo chocolate y yo dije amargo, pero es lo mismo.

R: Es lo mismo, se trata del cuerpo; tiene que ver con tu cuerpo.

E: Es saborearlo.

R: ¿Realmente?

E: Sí.

R: ¿No puedes tener sabor fuera del cuerpo?

E: No en un sándwich inglés.

R: Pero el dinero, el punto, fue que el dinero es una función que ves como una función corporal. Tú lo ves como una realidad en tercera dimensión no como una realidad de la creación. Tú lo ves cómo algo, como sólido y real y sustancial, como algo que tiene sabor, forma y estructura. Y, por tanto, tiene una determinada clase de actitud que va con él. Pero, si es energía, es ligereza y facilidad. Si es cuerpo, es pesado y significativo, y pesado y significativo es donde lo han creado ¿No es así?

E: Sí.

R: ¿No es de donde vienen todos sus puntos de vista?

E: Así que, cuando preguntó sobre el sabor otra vez entramos en las asunciones.

R: Asunciones. Inmediatamente asumieron que era el cuerpo, que es donde viven, es cómo funcionan. Sabes, es resbaladizo, es sucio, es todo tipo de cosas, está lleno de gérmenes. Qué interesante punto de vista tienen sobre el dinero.

E: A veces, es cálido y fresco.

R: ¿Cálido y fresco? ¿En verdad?

E: Hay como otro, que tiene este factor de confianza detrás de él que lo sostiene, un estándar como de oro...

R: Eso es un punto de vista, una consideración que compraste. ¿Es la realidad? ¡¡¡¡No más!!!! (Risas) ¿Hay algo detrás del dinero? Toma un billete de un dólar ¿Que se ve detrás de él?

E: Aire.

R: Nada ¡Aire! Montón de aire, eso es todo lo que está detrás de él (risas).

E: Mucho de aire caliente.

R: Mucho de aire caliente, exactamente. (Risas). ¿Y cuándo escuchas a las personas hablar del dinero, lo crean como aire caliente, hablan de él como aire caliente? Sí, pero ¿Cómo lo crean? Es muy significativo y pesado y turbio ¿No es así? Pesa sobre ti como una tonelada de ladrillos. ¿Es la realidad? ¿Es cómo desean crearlo para ustedes? Bien. Así que, empiecen a mirarlo, sentirlo. Sientan, cada vez que escuchen venir una consideración sobre el dinero. Esta es parte de su tarea junto con el resto. Cada vez que sientan la energía de cierta consideración, idea, creencia, decisión o actitud sobre el dinero, sientan donde golpea en su cuerpo. Sientan el peso de la misma y cámbienla a ligera. Cámbienla a ligera, es sólo un punto de vista interesante.

Es sólo un interesante punto de vista; eso es todo lo que es, no es una realidad. Pero muy pronto empezarán a ver cómo han creado su vida, los flujos del dinero en ella, de su propia voluntad, participando en la compra de todos los punto de vista de los demás. ¿Dónde están en esa configuración? Se han ido, ustedes mismos se han disminuido, ustedes se han dejado desaparecer y se han convertido en lacayos, esclavos, de lo que llaman "el dinero". No es más verdad que la verdad del aire que respiran. No es más significativo que respirar. Y no es más significativo que ver las flores. Las flores les traen alegría. ¿Verdad? Ver las flores, les trae alegría. Cuando ves el dinero ¿Que obtienes? Te deprimes, no hay tanto cuanto yo quería. Nunca están en gratitud por el dinero que tienen ¿No es así?
E: No.
R: Obtienen cien dólares y dicen, "Oh, esto será para pagar esta cuenta, joder, ojalá tuviera más." (Risas). En vez de decir, "¡Whoa, manifieste algo bueno!" ¿O no? No celebran lo que crean, dicen, ¡Oop, otra vez no produje suficiente! ¿Qué dice eso? ¿Cómo que se manifiesta eso en sus vidas? Si ven un billete, si encuentran un billete de un dólar en el suelo, lo recogen y lo ponen en su bolsillo y piensan, "Oh, tengo suerte hoy". Piensan "¿Vaya, hice un gran trabajo manifestando? ¿Hice un gran trabajo de creación de algunos flujos del dinero para mí?" No, porque no fueron diez mil dólares, que es lo que ustedes piensan que necesitan. La palabra *necesitar* otra vez.
E: ¿A qué sabe el dinero?
R: ¿Sabe cómo?
E: Sucio.
R: ¿Sucio? No es de extrañar que no tengas dinero. (Risas).

E: Dulce.

R: Dulce. Tienes más el dinero.

E: Sabe Bien.

R: Sabe Bien, tiene buen sabor, recibes un poco más del dinero así.

E: Como agua.

R: Como el agua, se va bastante rápido, como el agua ¿eh? (Risas). A través de la vejiga. ¿Qué otros puntos de vista? ¿Ningún otro, alguien más tiene algún otros puntos de vista sobre el dinero?

E: Asqueroso.

R: Asqueroso. ¿Cuándo fue la última vez que saboreaste el dinero?

E: Cuando niño.

R: Bien, porque te dijeron cuando eran pequeños que estaba sucio, que no lo pusieras en tu boca. Porque compraste el punto de vista que el dinero era asqueroso. Compraste el punto de vista que no era bondadoso y que no era energía, pero que era algo para ser rechazado. Porque estaba sucio, ya que no proveía de bondades. Y lo compraste muy joven y te has retenido ese punto de vista por siempre. ¿Puede elegir algo diferente ahora?

E: Sí.

R: Bueno. Permite que la realidad sea sólo un punto de vista interesante. Cual sea el sabor del dinero. No es una solidez, es una energía y también tú eres energía. ¿Muy bien? ¿Has creado tu mundo alrededor de los puntos de vista que tienes del dinero? ¿Está sucio, es asqueroso, tienen una limitada cantidad de él porque no desea ser una persona sucia? A veces es más divertido ser sucio, lo fue en mis tiempos. (Risas).

CAPÍTULO SIETE

Cuando ves el dinero venir hacia ti ¿Desde qué dirección lo sientes venir?

Rasputín: Bien. Ahora, la siguiente pregunta. ¿Cuál es la siguiente pregunta?

Estudiante: ¿Desde qué dirección lo sientes venir?

R: Bien. ¿Desde qué dirección lo sientes venir?

E: Del frente.

R: Frete. ¿Siempre está en el futuro, Eh? Vas a tenerlo en el futuro, vas a ser muy rico. Todos sabemos eso.

E: Pero a veces lo veo venir de la nada.

R: De la nada es un lugar mejor, pero la nada, ¿Dónde está la nada? De cualquier lugar es un lugar mejor desde donde venir.

E: ¿Qué hay de todas partes menos hacia arriba?

R: Bien ¿Por qué lo estás limitando?

E: Lo sé, no había pensado en eso.

R: Nunca pensaste que estaba bien que la lluvia viniera desde...

E: No, lluvia vi, pero no creo que venga desde la tierra. Tu propio árbol de dinero.

R: Sí, deja que el dinero crezca en todas direcciones para ti. El dinero puede venir de cualquier parte, el dinero siempre está ahí. Ahora, siente la energía en esta habitación.

Están empezando a crear dinero. ¿Sienten la diferencia en sus energías?

Clase: Sí.

R: Sí ¿Desde dónde lo ven venir?

E: De mi marido.

Clase: (Risas).

R: Mi esposo, de otros ¿De dónde?

E: La Carrera.

R: La carrera, trabajo duro. ¿De qué puntos de vista estás hablando aquí? ¿Si lo estás buscando en alguna otra persona, donde se encuentra esa persona? ¿Delante de ti, al lado de ti, detrás de ti?

E: Detrás de mí.

R: Sí es su ex marido.

E: Si lo es.

R: Sí, por lo que buscas en el pasado, de él, para tener tu vida. ¿Ahí es desde donde creas?

E: No, pero yo creo que...

R: Sí, está bien, estás mintiendo. Así que, en primer lugar, toma todos los lugares que están en esta sala y saca energía de esta sala, a través del frente, a través de cada poro de tu cuerpo, jala de ella a través de cada poro de tu cuerpo. Bueno y ahora, tira de ella desde tu parte posterior, a través de cada poro de tu cuerpo. Bien. Y ahora, de los lados, por cada poro de tu cuerpo. Y ahora desde abajo de ti, a través de cada poro de tu cuerpo. Y ahora jálala desde la parte superior, a través de cada poro de tu cuerpo. Y ahora tienes energía que llega de todas partes, y el dinero no es sino otra forma de energía y ahora convertirla en dinero, que entra por cada poro de desde todas direcciones.

Observaron cómo la mayoría de ustedes la hicieron más sólida. Háganla ligera, conviértanla en energía otra vez lo que reciben. Y ahora conviértanla en dinero. Bien, eso está mejor, así es cómo convertirse en dinero, lo fluyes a través de cada poro de tu cuerpo. No lo veas procedente de otras personas, no lo veas desde otro espacio, no lo veas venir del trabajo; permite que fluya hacia adentro. Y ahora, detén el flujo en cada parte de tu cuerpo. Y ahora deseamos que fluya la energía hacia afuera desde la parte delantera, tanta cuanta puedas. Flúyela hacia fuera, flúyela hacia fuera, flúyela hacia fuera. ¿Está disminuyendo tu energía? No, no es así. Siente, tu parte trasera, la energía viene hacia ti y fluye hacia la parte delantera.

No hay fin a la energía, continúa fluyendo; como lo hace el dinero. Ahora, jala energía con cada poro de tu cuerpo, desde cada lugar. Bien, ahí. Y ahora, que ya le está jalando de todas partes, también está saliendo de todas partes, no se estanca. Ahora, convertirla en el dinero y vas a comenzar a ver el dinero volando alrededor, por todas partes alrededor de ti. Sí, va hacia adentro y hacia afuera y alrededor y a través. Continúa moviéndolo, es energía – como tú. Eres tú, tú lo eres. Allí, así.

Bien, ahora, deja de fluir. Ahora, fluye dinero, cientos de dólares de dinero a todos en la sala, delante de ti. Flúyelo hacia fuera, enormes cantidades de dinero, velos ganado enormes cantidades del dinero, flúyelo hacia fuera, flúyelo hacia fuera, flúyelo hacia fuera, flúyelo hacia fuera. Noten que, todavía están jalando energía desde la parte posterior y, si lo permiten, tanta energía vendrá desde la parte posterior como fluyan en la parte delantera y todavía lo está haciendo como dinero. ¿Esto les da una idea? Cuando piensan que no hay suficiente el dinero para pagar una cuenta y es una dificultad el fluir hacia fuera el dinero, es porque han cerrado su parte posterior y no están dispuestos a recibirlo. El dinero fluye hacia adentro como hacia fuera, cuando lo bloquean con su punto de vista que no habrá suficiente mañana, han creado una discapacidad en ustedes mismos. Y no tienen ninguna discapacidad excepto las que personalmente crean. Bien ¿Todos lo captaron? Siguiente pregunta.

CAPÍTULO OCHO

En relación al dinero ¿Sientes que tienes más de lo que necesitas o menos de lo que necesitas?

Rasputín: Bien. Siguiente pregunta.

Estudiante: En relación al el dinero ¿Cómo me siento, "tengo más de lo necesario o menos de lo necesario"?

R: Sí. En relación con el dinero ¿Sientes que tienes más de lo que necesitas o menos de lo que necesitas?

E: Menos.

E: Tengo que decir menos.

E: Todos dijeron menos.

R: Sí, lo damos por hecho ¿eh? No hay uno solo que piense que tiene suficiente. ¿Y como siempre lo ven como <u>necesidad</u>, que es lo que siempre van a crear? Necesidad, no es suficiente.

E: Pero ¿Cómo pagar las cuentas mañana?

R: Sí, verás, siempre buscas cómo vas a pagar la factura mañana, exactamente, muchas gracias. Siempre es acerca de cómo vas a pagar esa cosa mañana. Hoy en día ¿Tienes suficiente? ¡Sí!

E: ¿Estoy bien?

R: "Estoy bien" ¿Quién está diciendo eso? Ahí tienes un interesante punto de vista, estoy bien. Soy grandioso, soy glorioso y ahora, crea más.

Mi dinero es maravilloso, amo mucho el dinero, puedo tener tanto como deseo. Le permiten entrar. Están agradecidos por el hecho de que tienen hoy, no se preocupen por el mañana, mañana es un nuevo día, manifestaran cosas nuevas. Las oportunidades vienen a ti ¿Verdad?

Ahora, el mantra: "Toda en la vida viene a mí con facilidad, gozo y gloria"™. (Toda la clase repite el mantra varias veces). Bien, ahora sientan esa energía, ¿No es la misma que "yo soy energía, yo soy concienciación, yo soy control, yo soy creatividad, yo soy dinero"?

E: ¿Y el amor?

R: Y el amor. Pero ustedes siempre son amor, siempre has sido amor y serán siempre amor, eso dalo por hecho.

E: ¿Por qué?

R: ¿Por qué es un hecho? En el primer lugar ¿Cómo crees que te creaste? Desde el amor. Llegaste a este lugar con amor. La única persona a la que no le das amor con facilidad es a ti mismo. Se ese amor para ti mismo y tú eres el dinero y alegría y tú eres facilidad.

CAPÍTULO NUEVE

En relación al dinero, cuando cierras los ojos ¿De qué color es y cuántas dimensiones tiene?

Rasputín: En relación al dinero, cuando cierras los ojos ¿De qué color es y cuántas dimensiones tiene? Alguien...

Estudiante: Tres dimensiones.

R: Azul y tres dimensiones ¡Hey!

E: ¿Multidimensional?

E: Verde y dos.

E: Verde y tres.

R: Interesante, que sólo tiene dos dimensiones para la mayoría de ustedes. Para algunos de ustedes tiene múltiples dimensiones. Para algunos de ustedes tiene tres.

E: Yo tuve espacio muy amplio.

R: Espacio muy amplio es un poco mejor. Espacio muy abierto es donde debe estar el dinero, sientan la energía de eso. Entonces el dinero puede venir de cualquier parte ¿No es así? Y está en todas partes. Cuándo ves el dinero como espacio muy abierto, no hay ninguna escasez ¿No es así? No hay ninguna disminución de él, no tiene forma, no tiene ninguna estructura, no tiene ninguna importancia.

E: ¿Y no hay color?

R: Y no hay color. Porque, bien, están viendo dólares Americanos, ¿Qué hay acerca del oro? ¿Es verde y tiene tres lados? No. ¿Qué hay acerca de la plata? Bueno, que a veces es algo como iridiscente, pero incluso eso no es suficiente. ¿Y es líquida? ¿Tienes colores líquidos?

E: No.

R: ¿Qué hay al respecto del hombre en la tienda? Bien ¿De qué manera deseas hablar con él? ¿Vas a la tienda a comprar? Cuál es la asunción...

E: Es caro.

R: Sí, es espacio muy abierto, pero tú, estamos hablando de permitirte tener tanto dinero viniendo hacia ti que nunca más pienses él. Nunca más pienses en el dinero. Cuando vas a la tienda ¿Ves los precios de cada uno de los artículo que compras y lo vas sumando para saber cuánto es, a ver si tienes suficiente el dinero para gastar?

E: A veces tengo miedo de abrir mis estados de cuenta de las tarjetas de crédito.

R: Exactamente. No abres esos estados de cuenta de las tarjetas de crédito si no deseas saber cuánto dinero debes. (Risas) Porque sabes que no tienes suficiente dinero para pagarlas. Automáticamente asumes eso.

E: Simplemente no quiero ni ver.

R: ¿No quieres?

E: Ni verlo.

R: Escribe, escríbelo.

E: Quiero, quiero, quiero.

R: Quiero, quiero. Escríbelo, rómpelo en pedazos. No más *quiero*, no más *necesidad*, no está permitido. ¿Está bien?

CAPÍTULO DIEZ

En relación al el dinero, que es más fácil ¿Los ingresos o los egresos?

Rasputín: Bien. Ahora, la siguiente pregunta.

Estudiante: En relación al el dinero, que es más fácil ¿Los ingresos o los egresos?

R: ¿Existe alguna persona aquí que haya dicho que los ingresos son más fáciles?

E: Si alguien lo dijo está mintiendo. (Risas) Sé que yo no.

R: Correcto, teniendo en cuenta el hecho de que no ves tus deudas de tarjeta de crédito, definitivamente no era la verdad.

E: No estoy seguro de cual.

R: No estoy seguro, interesante punto de vista, ¿eh? Muy bien. Así que, para todos ustedes, la idea de que el dinero sale más a menudo es el punto de vista más significativo que sostienen. Es tan fácil de gastar el dinero, es tan difícil de trabajar, tengo que trabajar duro para ganar mi dinero. Interesante punto de vista ¿eh? Ahora, ¿Quién está creando los puntos de vista? ¡¡Tu!!

Así que, sientan el dinero, sientan la energía entrar en sus cuerpos. Bien, está viniendo de todas partes, siéntanla que viene hacia adentro. Bien, ahora fluyan la energía hacia afuera por delante de ustedes, siéntela venir por detrás y permitan que se igualen. Ahora, sientan cientos de dólares salir por el frente de ustedes y cientos de dólares que vienen por la parte posterior de ustedes. Bien. Sientan miles de dólares saliendo al frente de ustedes y miles de dólares que vienen por la parte posterior. Noten cómo la mayoría de ustedes se solidificaron un poco con esto. Aligérense, es solo el dinero, no es significativo e incluso en este momento no tienes que sacarlo de tu bolsillo. Ahora, dejen millones de dólares fluir por su frente y millones de dólares fluir por la parte posterior. Tengan en cuenta que es más fácil el flujo de millones de dólares que el flujo de miles de dólares. Porque han creado una significancia sobre cuánto el dinero pueden o no tener, y cuando llegan a los millones allí ya no queda ninguna significancia.

E: ¿Por qué?

R: Porque piensan que no van a tener 1 millón, por lo que es irrelevante. (Risas).

E: Bueno, me costó más dejar que el dinero entrara por la parte posterior, tal vez creo que lo haré.

R: Quizás, pero definitivamente estás más dispuesto a dejar que el dinero fluya hacia afuera a que lo estás dispuesto a dejarlo fluir hacia adentro. Lo cual es otro interesante punto de vista, ¿eh? ¿Ahora, la energía de salida es equivalente a la energía de entrada? Sí, no está del todo bien. Pero no existe limitación en la energía y no existe limitación del dinero excepto aquello que, tú mismo, creas. Tu estas a cargo de tu vida, tú la creas y la creas con tus elecciones y tus pensamientos inconscientes, tus puntos de vista asumidos, que se oponen a ti. Y lo haces desde el lugar donde piensas que no eres poder, que no tienes poder y que no puedes ser la energía que eres.

CAPÍTULO ONCE

¿Cuáles son tus tres peores problemas con el dinero?

Rasputín: Ahora, ¿cuál es la siguiente pregunta?

Estudiante: ¿Cuáles son sus tres peores problemas con el dinero?

R: ¡Oh! Este es una buena. ¿Quién quiere ser voluntario para esta?

E: Yo lo haré.

R: Bien, ven aquí. Sí.

E: Estoy muy temeroso de no tener el dinero.

R: Ah sí, bueno, hemos hablado sobre el miedo ¿Está bien? ¿Así que, tenemos que cubrir más? ¿Todos están bastante claros sobre eso ahora? Bueno, a lo que sigue.

E: Quiero comprar muchas cosas.

R: ¡Ah! interesante punto de vista, comprar un montón de cosas. ¿Qué obtienes al comprar muchas cosas? (Risas). Mucho para hacer, mucho que cuidar, llenar tu vida con un montón de cosas. ¿Qué tan ligero se siente?

E: Muy pesado y luego me encuentro regalando todo, a los vecinos, en cumpleaños...

R: Sí. Así que ¿cuál es el valor de comprar un montón de cosas?

E: Esta en mi sangre.

R: Así que ¿Cómo es que eso es una de tus consideraciones?

E: Porque me molesta.

R: ¿Te molesta comprar?

E: Sí.

R: Bien. Así que, ¿cómo superar las ganas de comprar? A través de ser el poder, por ser la concienciación, por ser el control y por ser la creatividad. Y conforme llegas al lugar en el que sientes que necesitas comprar, la razón por la que estás comprando es porque asumes que no tienes suficiente energía. Trae energía hacia dentro de ti. Si deseas romper el hábito de comprar dale el dinero a las personas sin hogar, en la calle o enviarlo a una institución benéfica o dáselo a un amigo. Porque lo que has hecho es que has decidido que tienes demasiado dinero. Así que debes asegurarte de que ecualizas el flujo desde tu punto de vista. ¿Puedes ver cómo estás haciendo eso?

E: Sí. Sí, realmente tengo demasiada afluencia.

R: Sí. Así que ¿puede haber demasiada afluencia en oposición a la efusión? No, es una realidad creada. Y lo que en ustedes existe y lo que están asumiendo, es que no son espirituales, no están conectados a su fuerza de Dios, si tienen demasiado. No tiene importancia, en verdad, lo que importa son las elecciones que toman sobre cómo crear sus vidas. Si la crean como energía, si la crean como poder, si la crean como concienciación y si la crean como control tendrán gozo en sus vidas, que en primer lugar, es lo que están tratando de lograr. Facilidad, gozo y gloria, esto es lo que desean, esto es lo que buscan y es donde van. Y esto es lo que todos conseguirán si siguen las indicaciones que les hemos dado esta noche. Muy bien. Ahora ¿Hemos cubierto todas las preguntas?

E: Solo lo mismo, si tengo el dinero y me siento como, bueno, alguien no tiene esto y por lo tanto debo dárselos. Entonces no tengo tanto y me preocupa.

R: Entonces ¿Qué tal si les das energía?

E: ¿Darles energía en vez de dar el dinero?

R: Sí, es lo mismo.

E: Así cuando el tipo te pide limosna en el metro, solo... (Risas)

R: Bueno, ustedes acaban de...

E: Te piden un dólar y tú solo...

R: Haber, ¿ustedes no han respirado energía aquí esta noche?

E: Sí.

R: Haber, ¿no han comido hasta llenarse de energía? ¿Cuál es el propósito de comer? Obtener energía. ¿Para qué sirve el dinero? Para tener energía. ¿Cuál es el propósito de la respiración? Tener energía. No hay ninguna diferencia en lo absoluto.

E: Seguro parece diferente.

R: Sólo porque deciden y lo crean como diferente. La asunción es que hay una diferencia.

E: Es cierto.

R: Y cuando asumes, empiezas a crear a partir de esa posición que crea la falta del dinero y la falta de energía.

E: Pero eso, a mí no me parece nada bien, porque me parece que parte de lo que estoy asumiendo es que soy un ser humano, que..

R: Bueno, ahí tienes una mala asunción.

E: Bueno, estoy viviendo en una sociedad humana con creaciones tales como pan, agua, tiempo, gobierno...

R: Por lo que te estás creando a ti mismo como un cuerpo.

E: Me estoy creando a mí mismo como "S" en 1996, Nueva York, sí.

R: Estás creándote como un cuerpo. ¿Que es donde realmente deseas estar? ¿Eres feliz allí?

E: Bueno...

R: ¡No!

E: Cuando estuve fuera del cuerpo había otros lugares que parecían mucho peores, así que esto me pareció un buen punto para ver cómo podría resolver ese problema. Mientras tanto fue bastante mala noticia...

R: Correcto. Pero estás creando las realidades desde cualquier lugar desde donde eres, por tu propio punto de vista.

E: A mi así no me lo parece, me parece que otros crean junto conmigo o por mí, encima de mí. No creo poder decir totalmente eso, creo que no, tal vez, pero yo no lo creo.

R: ¿Tu no controlas lo que decimos?

E: Lo que dices. Quiero decir, tú y yo estamos conectados de alguna manera...

R: Sí.

E: ....y todos, pero.........y.........la paradoja es que tú y yo no nos cuestionamos sobre esto, tú eres un ser espiritual.

R: Y también tú.

E: Y tú eres "S" (otro alumno) tú eres "S" (otro alumno) y estamos compartiendo juntos una realidad aquí, nos encontramos en Nueva York en 1996 ¿No es así? Pero estoy contigo de alguna manera, no pienso que soy tú.

R: Es cierto, que es lo que hemos estado hablando, no piensas. Cada vez que piensas...

E: Tengo un problema.

R: Tienes un problema.

E: Lo captas. (Risas).

R: Así que tíralo lejos, tu cerebro, es un inútil pedazo de basura.

E: Y simplemente me lanzo de la azotea.

R: Y salta desde el techo y empieza a flotar como el ser que eres. Ustedes, cuando tiren su cerebro y detengan el proceso del pensamiento, cada pensamiento tiene un componente eléctrico, que crea su realidad. Cada vez que ustedes piensan, "Yo soy esto" "Yo soy un cuerpo", es exactamente en lo que se convierten. No eres "S", eres la apariencia de "S" en este momento, pero han sido millones de otras vidas y millones de otras identidades. Y todavía están siéndolas, ahora mismo. Tu consciencia, la mayor parte de ella desde tu punto de vista, está aquí, ahora. Que, además, no es una realidad. Cuando se desconecten de la idea de que su realidad se crea en este momento con su total consciencia y empiecen a ver de dónde tomaron las otras ideas, los otros puntos de vista y las actitudes de otras personas, creencias, decisiones e ideas, empezarán a conectarse con esas otras dimensiones que pueden darles a ustedes una realidad grandiosa sobre este plano que nada de lo que intentan crear ahora mismo desde su proceso de pensamiento. Y es donde realmente desean ir.

El pensamiento obstaculiza la forma de vivir porque no es un proceso creativo, es una trampa. Siguiente pregunta.

CAPÍTULO DOCE

¿Qué tienes más? ¿Dinero o deudas?

Rasputín: Siguiente pregunta.

Estudiante: ¿Qué tienes más? ¿Dinero o deudas?

R: ¿Qué tienes más?

E: Deudas

E: Deudas.

R: Deudas, deudas, deudas, deudas. Interesante, todos tienen deudas ¿Por qué es así? ¿Por qué tienen deudas? Sientan la palabra *deuda*.

E: ¡Ah! es pesada.

E: Sí.

R: Se siente como una tonelada de ladrillos. Así que, les daremos una pequeña pista, cómo aligerarla. Porque se siente sobre ustedes con tal pesadez que compran el punto de vista que es de las cosas más significativas acerca de ustedes. ¿No es así? Porque es pesada, porque es significativa, porque es una solidez, y le agregan, y le agregan, porque compran la idea de que es bueno estar en deuda, Compran la idea de que uno debe estar en deuda y compran la idea de que de todos modos, no tienen suficiente dinero, si no lo hacen. ¿Es eso real?

E: ¡Uh! huh.

R: Interesante punto de vista. ¿Es real?

E: Sí, eso es lo que solía pensar.

R: Bueno, bien. ¿Sigues pensando eso?

E: No.

R: Bueno. Está bien. ¿Cómo se deshacen de sus cuentas y sus deudas? Mediante el pago de sus erogaciones anteriores. ¿Puedes hacer de tus erogaciones anteriores una solidez? ¿Siéntanlo, se siente como deuda?

E: No hay juicio en eso.

R: No hay juicio, exactamente. Y sin embargo se juzgan a sí mismos, significativamente, en su deuda, ¿no es así? ¿Y, cuando se juzgan a ustedes mismos, quien es quien los patea?

E: Yo mismo.

R: Correcto. Así que ¿por qué estás enojado contigo mismo por crear la deuda? Bien, pues deberías. Eres un grandioso y glorioso creador de deuda, eres un creador, has creado una magnífica deuda. ¿No es así?

E: Oh, sí.

R: ¡Una magnificente deuda, vaya, soy bueno para crear deuda! Bien, así que ve el glorioso creador que eres de deuda. Se el glorioso creador que eres para pagar erogaciones anteriores. Siente la ligereza en las erogaciones anteriores, que es cómo crear un cambio en tu consciencia. Ligereza es la herramienta, como la ligereza que eres, cuando estás siendo ligero como el dinero, creas un giro y un cambio en tu consciencia y la de todos a tu alrededor. Y creas una energía dinámica que comienza a cambiar la totalidad de la zona en la que vives, en el lugar y cómo recibes el dinero y como viene a ti y cómo funciona todo en tu vida. Pero, sabe que eres un gran y glorioso creador y que todo lo que has creado en el pasado es exactamente lo que dijiste que era, y lo que crearas en el futuro va a ser exactamente lo que creas que es por las elecciones que tomes. Muy bien, la siguiente pregunta.

CAPÍTULO TRECE

En relación al dinero, para tener abundancia de dinero en tu vida ¿Cuáles serían las tres soluciones a tu situación financiera actual?

Rasputín: Bien, así que tenemos dos preguntas más. ¿Sí?

Estudiante: Una pregunta más.

R: Una pregunta más. ¿Cuál es la última pregunta aquí?

E: En relación al dinero, para tener abundancia de dinero en tu vida ¿Cuáles serían las tres soluciones a tu situación financiera actual?

R: Bueno. ¿Quién desea ser voluntario para esta?

E: Yo.

R: Bien,

E: Hacer lo que amo y hacerlo mejor.

R: ¿Hacer lo que amo y hacerlo mejor?

E: Sí.

R: Entonces, ¿qué te hace pensar que no puedes hacer lo que amas y hacerlo mejor? Y ¿cuál es la asunción básica allí?

E: Que me falta el dinero para llegar allí.

R: Bueno. ¿Qué es lo que más amas?

E: Me encanta la jardinería y sanación.

R: ¿Jardinería y sanación? ¿Y haces esas cosas?

E: A veces.

R: Entonces, ¿qué te hace pensar que no estás obteniendo lo que deseas?

E: ¡Umm.!

R: ¿Porque pasas ocho horas al día haciendo algo que odias?

E: Exactamente.

R: ¿Quién creó esta realidad?

E: Pero, bueno...

R: ¿No tienen necesidad de jardineros por esta ciudad? ¿Cómo es que no te volviste un jardinero si te gusta la jardinería?

E: Porque estoy en proceso de hacerlo, hacer que suceda, pero yo...

R: ¿Cuál es la asunción básica subyacente de la cual estás funcionando? Tiempo.

E: Tiempo, sí.

R: Sí, el tiempo.

E: No ha habido tiempo para crear.

R: Sí. No ha habido tiempo para crear. ¿Qué fue lo hablamos al principio? Creatividad, creando de la visión. Poder ser "yo soy poder", le estás dando la energía a lo que deseas, concienciación del saber que lo tendrás. ¿Dónde debilitas constantemente tu saber de qué vas a tener lo que deseas? Lo hacen todos los días cuando van a trabajar y dicen: "Todavía no lo he obtenido".

E: Es cierto.

R: ¿Qué están creando desde ese punto de vista? Todavía no tenerlo y mañana tampoco lo tendrán porque todavía tienen el punto de vista que no lo han obtenido. Y han tomado el asunto del control y han decidido que debe haber un camino en particular que hay que seguir para llegar allí. Si la ruta para llegar a ello es que tienes que ser despedido para seguirla, ¿no lo sabes? ¿O sí? Sin embargo, si ustedes deciden que la única manera de que ustedes puedan hacerlo es manteniendo ese trabajo que odian, porque eso les dará la libertad para llegar donde desea ir, han creado una delimitación y un camino, una forma en la que deben llegar, que no le permite al universo abundante proveerles para su camino.

Ahora, vamos a darles otro pequeño enunciado que deberán escribir y poner en algún lugar donde lo vean diariamente. Aquí vamos: Yo permito que el abundante universo me provea con una multiplicidad de oportunidades todas diseñadas para abarcar y apoyar mi crecimiento, mi concienciación y mi expresión gozosa de la vida. Este es su objetivo, esto es donde van.

R: Bien, "S" ¿Cuál es la siguiente respuesta que tienes?

E: Estar libre de deudas para que pueda ponerme al corriente conmigo mismo y ser libre.

R: Estar fuera de deudas. ¿Cuál es la asunción subyacente básica? Que nunca estarás libre de deudas y que estas en deuda. Así que ¿Qué te estás diciendo a ti mismo todos los días? "Estoy en deuda, estoy en deuda, estoy en deuda, estoy en deuda, estoy en deuda, estoy en deuda, estoy en deuda". ¿Cuántos de ustedes están en deuda?

E: Probablemente, todos lo estamos.

R: Y ¿Cuántos de ustedes lo dicen con gran abundancia y diligencia? (Risas).

E: Yo no.

E: Diligencia. (Risas).

R: Bien, así que no creen a partir de ahí. Crean a partir de "Yo soy dinero". No se preocupen acerca de lo que ustedes llaman su deuda, páguenla poco a poco. Desean pagarla inmediatamente; tomen 10% de todo lo que llega y pónganlo en sus deudas. Y por ningún motivo las llamen deudas. Escuchar los sonidos de *deuda*. ¿Suena realmente bien, eh? Llámenle erogaciones anteriores. (Risas).

E: ¡Lo haré!

E: Es grandioso, eso es realmente grandioso.

R: Es difícil decir, "Yo soy erogaciones anteriores". ¿No es así? (Risas). Difícil de decir, "Estoy en erogaciones anteriores". Pero, "Estoy pagando erogaciones anteriores" es fácil. ¿Ven cómo salir de deudas? También no debemos ignorar el aspecto de libertad allí. El punto de vista subyacente es que no tienes libertad, lo que significa que no tienes poder, que significa que no tienes otra elección. ¿Es eso realmente cierto?

E: No.

R: No. Han elegido a su experiencia, cada experiencia de su vida, cada experiencia de su vida ¿ha sido acerca de qué? Crear mayor y más grandiosa concienciación dentro de sí. Nada de lo que han elegido en el pasado era para ningún otro propósito que el de despertar a la realidad y la verdad de ustedes mismos o ustedes no estarían aquí esta noche. ¿Está bien?

E: ¿Podrías repetirlo otra vez?

R: Nada de lo que han hecho o elegido en su vida ha sido con algún otro propósito que el de despertarse a la verdad de ustedes mismos o ustedes no estarían aquí esta noche. ¿Qué tal? ¿Lo hicimos palabra por palabra? (Risas). Muy bien. Así que, ¿tu siguiente punto de vista?

E: Vivir una vida más simple.

R: Qué mierda es esa. (Risas).

E: Lo sé. (Risas). Lo supe incluso cuando lo estaba escribiendo. (Risas).

R: No hay uno de ustedes que desee una vida más simple, la vida más simple es muy fácil – ¡Te mueres! Entonces tienes una vida simple. (Risas). La muerte es simple; vida, la vida es una abundancia de experiencias. La vida es abundancia de todo, la vida es una abundancia de gozo, abundancia de facilidad, abundancia de gloria, es la realidad y la verdad de ti. Ustedes son energía ilimitada, ustedes son en totalidad todo de lo que este mundo está hecho y cada vez que <u>eligen</u> ser el dinero, ser concienciación, ser control, ser poder, ser creatividad, cambian este plano físico en un lugar en el que la gente puede realmente vivir con absoluta concienciación, absoluto gozo y abundancia absoluta. No sólo para ustedes, sino cada uno los seres en este plano están siendo afectados por las decisiones que toman. Porque eres ellos, y ellos son tú. Y conforme aligeren sus propias consideraciones, conforme no pasen y le peguen a otros sus consideraciones, crearán un planeta más ligero, una civilización más despierta y consciente. Y eso que desean, lo que han querido, lo que es el lugar de la paz y el gozo fructificara. Pero son los creadores de la misma, estén en el conocimiento de ello, en el gozo de ello y manténganlo.

Ahora, una vez más reiteramos, tus herramientas, cuando sientas la energía de los pensamientos acerca del dinero por encima de ti y la sientes empujado para entrar, inviértela y hazla salir desde ti hasta que puedas sentir, una vez más, el espacio que eres. Y entonces sabrás que no eres tú el que ha creado esa realidad. Recuerda que crear la visión de lo que tendrás al conectarte al poder, la energía que es. Y siendo consciente de que es una realidad que ya está en existencia porque la has pensado. No tienes que controlar cómo llegar allí, eres control y por lo tanto, ocurrirá tan pronto como el universo abundante pueda proporcionártela. Y lo hará, no lo juzgues. Se y está en gratitud cada día por cada cosa que manifiestas, cuando consigues un dólar, se y está en agradecimiento, cuando te lleguen quinientos dólares, se y está en agradecimiento, cuando obtengas 5 mil dólares, se y está en agradecimiento de lo que llamas tus deudas que son erogaciones anteriores, no deuda. No le debes nada a la vida porque no hay ningún pasado, no hay ningún futuro, hay solamente estos diez segundos desde donde creas tu vida. Coloca frente a ti el mantra: "Todo en la vida viene a mí con facilidad, gozo y gloria". Di, "Yo soy energía, yo soy concienciación, yo soy control, yo soy creatividad, yo soy dinero", diez veces por la mañana y diez veces por la noche. Ponlo en algún lugar donde lo puedas ver y puedas compartirlo con los demás. "Yo permito que el abundante universo me provea con una multiplicidad de oportunidades todas diseñadas para abarcar y apoyar mi crecimiento, mi concienciación y mi expresión gozosa de la vida". Y selo, porque esa es la verdad de ti.

Y, así que, es suficiente por esta noche. Se el dinero en todos los aspectos de la vida. Los dejamos en el amor. Buenas noches.

ACCESS CONSCIOUSNESS®

¡Todo En La Vida Llega A Nosotros Con Facilidad, Gozo y Gloria!™

www.accessconsciousness.com

CPSIA information can be obtained
at www.ICGtesting.com
Printed in the USA
BVOW04s0750050717

488532BV00013B/69/P